THIS BOOK WAS FUNDED
BY
A GRANT FROM
DAVID E. AND CASSIE L.
TEMPLE FOUNDATION

ZONA LIBRE

Historias de la cuchara

ZONA LIBRE

Historias de la cuchara

María Cristina Aparicio

www.librerianorma.com

Bogotá, Barcelona, Buenos Aires,
Caracas, Guatemala, Lima,
México, Panamá, Quito, San José,
San Juan, Santiago de Chile.

Aparicio, María Cristina
Historias de la cuchara / María Cristina Aparicio – Bogotá: Editorial Norma, 2011
160 p.: il. ; 21 cm. -- (Zona libre)
ISBN 978-958-45-3235-0
1. Cuentos infantiles - Siglo XXI 2. Cuentos infantiles latinoamericanos
3. Gastronomía – Cuentos I. Tít. II. Serie
I863.6 cd 21 ed.
A 1276980

CEP-Banco de la República. Biblioteca Luis Ángel Arango

Avenida El Dorado no. 90-10, Bogotá, Colombia.

Primera edición, febrero de 2011

Impreso por Editora Géminis Ltda.
Impreso en Colombia - *Printed in Colombia*

Imagen y diseño de cubierta, Ignacio Martínez-Villalba
Diagramación, Nohora E. Betancourt Vargas

C.C: 26001341
ISBN: 978-958-45-3235-0

Contenido

A Paúl

México
XOCOLATL

Tanto amó Quetzalcóatl a los hombres, que robó para ellos la planta más preciada de los dioses: la del *xocolatl*. Las deidades enfurecieron y hubo fuegos, tormentas y terremotos; los mares se desbordaron, el cielo oscureció y Quetzalcóatl, la enorme serpiente emplumada, fue desterrada para siempre de la morada de los dioses y tuvo que habitar entre los hombres.

Sor Isabel escuchó esta historia de boca del soldado que llevó al convento de Oaxaca una jarra de una bebida oscura y espesa hecha de un fruto llamado xocolatl. El militar alertó a las religiosas españolas de que debían probarla con cuidado porque tenía chile, era amarga y se pegaba en la boca y en la garganta, como las ventosas de una sanguijuela que baja lentamente por el cuerpo. A cambio, el xocolatl permitía que un hombre estuviera todo el día sin comer y despertaba las ganas de vivir. Era tanto el aprecio que les tenían los aztecas a las semillas de esta planta, que las usaban como monedas.

Sor Isabel era una de las encargadas de cuidar el huerto y tratar de adaptar las legumbres europeas a esa tierra extraña de tantos colores, animales y plantas de fertilidad descarada. Apenas tenía dieciséis años y había llegado nueve meses atrás de España. Sin embargo, aún se sentía en constante estado de alerta y desprotección.

Al igual que las otras religiosas españolas, Isabel se asomó a la jarra de xocolatl; sonrió como las demás y compartió sus burlas porque el contenido no le pareció más que barro convertido en bebida. La madre superiora, más bromista que interesada, ordenó a Inés, la pequeña, tomar un sorbo. Los labios de la pobrecita quedaron embarrados de aquella baba oscura. Todas rieron y la niña se agachó rápidamente a escupir con asco. Después de las risas, se dio por clausurada la atención a la bebida. Fue sor Clara quien tomó la jarra con cuidado y anunció su proyecto de estudiar las propiedades medicinales de aquel jarabe.

En la noche de esa misma jornada, sor Isabel entró con una lámpara a la cocina a verificar que todo hubiera quedado en orden. Los leños estaban bien apagados y las ayudantes indígenas habían colocado las grandes ollas y la vajilla en su lugar. A punto de irse, Isabel vio la jarra del nuevo brebaje en una esquina. Se acordó de lo sucedido en la tarde y con la pretensión de volver a reír y hacerse una broma a sí misma, introdujo la yema de un índice en el menjurje y lo probó. Efectivamente era amargo y, como dijo el soldado, se apropiaba de la lengua, se pegaba en las paredes de la boca e iba resbalándose lentamente. ¿Qué le habían encontrado los indígenas mexicanos a esa cosa, que se la embardunaban en el rostro, la bebían rindiéndole honores y la hacían parte de sus ritos? ¡Esos pobrecitos seres alejados de la mano de Dios!

Pero en ese momento, Quetzalcóatl reptaba por los rincones de la cocina; sus ojos granates brillaban en la noche y no perdían de vista a la muchacha. Y entonces, la boca de Isabel le exigió más y ella, distraída con sus pensamientos, metió otro dedo en la jarra y lo introdujo en la boca. La planta mágica se arrastró por su lengua hasta que logró hipnotizarla. Isabel no fue capaz de resistirse y probó por tercera, quinta, séptima vez. Sonreía divertida debido a las ansias de su cuerpo por el xocolatl, hasta que tomó conciencia de que estaba sola frente a ese brebaje de indígenas impíos y de naturaleza descarriada. Se persignó, salió de la cocina algo asustada y se obligó a no pensar más en lo ocurrido.

Un par de semanas después, se abrió otra vez el portón del convento para el xocolatl. Esta vez trajeron los frutos enteros. Isabel se acercó a escuchar las explicaciones que un indígena daba a sor Clara. Había que abrir la cáscara del fruto para encontrar un grupo de grandes semillas ovaladas de color negro brillante, cada una recubierta por terciopelos blancos, como si fuera una joya finamente empacada para regalar a una reina. El indígena explicó que había que fermentar un poco las semillas, antes de dejarlas secar, tostarlas y molerlas finamente en el metate.

La hermana investigadora tomó los frutos y siguió el procedimiento para obtener el xocolatl molido. Después, preparó la bebida con el indígena. Agregó el polvo al agua hirviendo. En pocos momentos el líquido se espesó y su aroma dominó el aire. Isabel recordó su sabor y la saliva le llenó la boca. El indígena batía la mezcla constantemente para que no se pegara al fondo ni se desbocara por la olla. Luego le añadió chile triturado y algunas hierbas olorosas.

Isabel observaba con atención aquella bebida que parecía tener alma propia. Sor Clara vio su rostro interesado y pensó que a la joven le atraía la investigación de las plantas medicinales; por eso le propuso que fuera su ayudante en el experimento del xocolatl. Su trabajo sería tomar un poco de la bebida todos los días. En la primera jornada solo debía probar una cucharada y anotar las reacciones de su cuerpo. Al siguiente día, tomaría doble dosis; al otro día, una triple ración y así sucesivamente. Si hubiese algún efecto negativo, dejaría de tomar la bebida de inmediato.

En Isabel se juntaron el temor, la curiosidad y la tentación. ¿Qué haría en su organismo ese alimento oscuro y posesivo? Sin embargo, su cuerpo se estremeció al saber que probaría otra vez aquella bebida, y la emoción fue mayor que las dudas. Finalmente aceptó participar.

Al pasar los días, y con el aumento de las dosis de xocolatl, lo más difícil fue contarle a sor Clara que los síntomas que iban surgiendo en su cuerpo eran la ansiedad por tomar más del "remedio", las ganas de probar de un solo bocado todos los frutos que traían los indígenas y la sensación de estar poco a poco fundiéndose por fin con el Nuevo Mundo.

Sin necesidad de que se lo dijeran, Clara notó que su asistente estaba más alegre y tenía mayor energía. Si era el efecto del xocolatl, como creía, la semilla negra podría ser un buen remedio para las hermanas entristecidas por la gripe. Así que decidió mezclarlo con miel para aumentar su efecto benéfico en la garganta. Con reverencia abrió Isabel la boca para probar el jarabe, ahora dulce. ¡Oh, Dios! Tuvo que mantener cerrados los ojos y la boca para no gritar su éxtasis al cielo. ¿Ese producto maravilloso era una zancadilla del diablo o un regalo de los ángeles?

Por la noche, cuando sor Clara se dirigía a su aposento, vio una tenue claridad que venía de la cocina. Se dirigió allí y encontró a Isabel sentada junto al mesón de madera y frente al jarabe del experimento. Tenía una mano completamente embarrada de xocolatl y los labios cubiertos por una mancha oscura. Las dos hermanas se miraron. Isabel sintió vergüenza y bajó la cabeza; después movió la jarra hacia la otra religiosa, como justificándose.

Clara se sentó, introdujo la punta del dedo anular en la bebida y la probó. Pocas veces en su larga vida, su cuerpo había pedido con tantas fuerzas que esa sensación se repitiera una vez más y otra y otra. Estaba sorprendida. Cogió la jarra y bebió varios sorbos. Muchos sorbos. Isabel no pudo evitar soltar una carcajada al ver a la hermana científica con los labios y los dientes enlodados de tanto xocolatl. Sor Clara rio también y consideró su estado de ansiedad como una santa gula. En definitiva, había llegado rápidamente a la misma conclusión que los aztecas: el xocolatl era un regalo que solo podía venir del cielo.

Al día siguiente, el oscuro y espeso brebaje de los reyes indígenas fue el nuevo ingrediente del desayuno de todas las hermanas del convento de Oaxaca. Isabel y Clara temieron por la reacción de la hermana superiora ante tanta alegre glotonería de todas las religiosas, que pedían más e introducían los dedos en las tazas para salvar hasta las últimas gotas. Pero al verlas y tomar su propia taza, la superiora empezó a organizarlo todo para que el sacerdote y las señoras del pueblo probaran el xocolatl (o chocolate, que fue el nombre cristiano que le dieron las monjas al manjar).

De inmediato, las hermanas cocineras pidieron la receta de la bebida y empezaron sus propios experimentos. Así, con el tiempo, crearon bocaditos blandos y duros o salsas arteras donde el picor del chile se disfraza hasta estallar en la boca, solo para disolverse de nuevo en el suave dulzor del chocolate.

Entre las damas de Oaxaca, el chocolate causó mucho mayor revuelo que entre las religiosas. Lo probaron y ya no quisieron dejarlo. Era increíble ver hasta qué punto aquel bebedizo indígena había invadido el alma de aquellas señoras de almidonadas modas españolas y muebles traídos de Europa; unas damas cuya mayor preocupación era convertir ese mundo nuevo en un espejo del adormecido y viejo continente. Algo les faltaba en la vida para que se apegaran tanto al dulce consuelo del chocolate y no lo dejaran ni en las misas. El sacerdote, indignado, tuvo que prohibir la entrada del impío brebaje en las iglesias. ¿En dónde se ha visto a los fieles comiendo golosinas en la casa de Dios? Pero las mujeres de Oaxaca armaron una huelga. ¡Sin chocolate no habría misa! Al final se salieron con la suya y consiguieron que su ídolo azteca entrara libremente en las iglesias católicas.

Las damas de Chiapas tomaron una medida más drástica cuando el obispo intentó limitar el consumo de chocolate. Pusieron veneno en la taza de chocolate caliente que el religioso tomaba todas las tardes. El pobre murió de manera dulce, y de paso nació la famosa frase: "Le dieron a beber una sopa de su propio chocolate".

De todos estos desmanes, y de los que siguieron, estuvieron libres de culpa Isabel y las religiosas de Oaxaca, que lo único que hicieron fue lanzar al viento el regalo de Quetzalcóatl, aquel dios reptil que prefirió ser expulsado del cielo antes que dejar a los humanos sin el paraíso instantáneo al que nos transporta el chocolate.

Colombia
FRISOLES CON PEZUÑA DE HIPOPÓTAMO

Chavita Henao es famosa en Antioquia por dos razones: haber inventado los frisoles con pezuña de hipopótamo africano y haber sido la madrina del aun más renombrado Pablo Escobar. Este narcotraficante, como supo el mundo entero, bajó hasta la paila del infierno, se la colocó en la espalda y la vino a derramar completica aquí en Colombia. Sin embargo, no dejaba de ser humano y, para más señas, paisa, así que demostró, hasta dos minutos antes de morir, adoración por su familia, la cultura de su tierra y sus creencias. A este hombre la nostalgia lo agarraba por la lengua y lo arrastraba de cuando en vez a la casa de su madrina. Allá llegaba transportado en grandes camionetas cuatro por cuatro, custodiado por guardaespaldas y metralletas.

–¡Chito, gran carajo! Me asustás a las gallinas con tanta alharaca y se les atoran los huevos. Dejá tus cacharros lejos de mi casa o aquí no me entrás –y la anciana se daba la vuelta y volvía a sus quehaceres mientras seguía rezongando.

Y si el "Patrón" mandaba en el país, Chavita mandaba en su mundo redondo y acogedor; un mundo siempre preparado para recibir a Pablo o a cualquiera de sus comadres y a sus otros ahijados, entre los que había hacendados, vendedores, comadronas y hasta un cura y numerosas monjas. Los preparativos para esa diaria hospitalidad incluían dejar en remojo, todas las noches, un kilogramo de fríjoles rojos secos.

A las cinco de la mañana y ni un segundo más, se le abrían los ojos a Chavita; entonces, se persignaba y se levantaba a bañarse con una palangana de agua fría; se rehacía las trenzas, se vestía, buscaba su sombrero e iba a la cocina a prender la radio y a encender los maderos del fogón. Allí ponía los fríjoles en la olla y con la misma agua del remojo. Les añadía un plátano verde que troceaba con la uña, una hoja de laurel, sal y una zanahoria cortada en trozos pequeños, que le da a la receta una suavidad especial. Los fríjoles necesitaban una paciencia de tres horas para cocinarse. Claro, los paisas de hoy apresuran su cocción llevándolos al fuego durante cuarenta y cinco minutos en la olla a presión. Pero a Chavita, las tres horas le servían para muchas cosas. Hacía arepas, barría, regaba plantas, recogía huevos y terminaba con lo que más le gustaba: alimentar a sus marranos y conversar con ellos.

Se sentaba en un tronco y los puercos la rodeaban, levantaban la testa para mirarla con sus ojos inteligentes y parecían responder a sus preguntas y narraciones con esas trompas que se movían, se ensanchaban, se encogían y lanzaban palabras en idiomas entrecortados y nasales.

–No me dejen olvidar que pasado mañana es el cumpleaños de la comadre Beti, niños; a ver si le preparo unos tamales.

Habían pasado las tres horas exactas, y el olor de la olla de fríjoles ya listos –suaves la mayoría, derretidos muchos y rodeados todos de un líquido que parecía una crema– llegaba hasta el chiquero. Chavita regresaba a la cocina, apagaba la olla y le agregaba una taza de hogao. En la cocina antioqueña no puede faltar una buena cantidad de hogao para condimentarlo todo. Este famoso ingrediente no es más que cebolla cabezona y tomate, picados bien pequeño y refritos en un poco de aceite por unos veinte minutos o hasta que estén deshechos y suelten un reverendo olor a sabrosura que se meta hasta por los ladrillos.

De ocho a nueve de la mañana, la anciana recibía a uno o dos o tres de sus ahijados o alguna comadre que venía a dejar una bolsa de aguacates, de carne de res, de lana de oveja, chorizos, manzanas, un pastel o absolutamente nada. Y se sentaban en la cocina para saborear los humeantes fríjoles recién hechos en tiesto de barro. En Antioquia, los paisas podemos comer fríjoles al desayuno, al almuerzo y a la cena. Si hay acompañamientos, por ejemplo arroz y aguacate, qué bien; si no, los comemos solos. Los ahijados de Chavita los comían con arepas, a veces con huevos y siempre con una taza de café molido por el vecino y pasado por chuspa. Entre una y otra cucharada de fríjoles, los visitantes le contaban sus preocupaciones a la madrina. Para ella, lo más importante era tener salud; mientras se gozara de buena salud, cualquier problema era bobada y tenía siempre una solución obvia. Por su parte, la misma anciana necesitaba hablar con los visitantes de sus pequeñas angustias: que su marrano Facundo estaba como sin apetito y que a Gregorio habría que caparlo pronto.

Si se hubieran preocupado por el ciclo de vida y muerte de los puercos de Chavita, los enemigos de Pablo Escobar se habrían ahorrado todo el trabajo que pasaron intentando encontrarlo desprevenido. La madrina sacrificaba uno de sus porcinos cada cuatro meses y enseguida mandaba a un niño a llevar este mensaje a la hacienda de Envigado:

–Deciles que le avisen a Pablito que de hoy en ocho preparo frisoles con pezuña.

Y Pablo, a menudo, arreglaba su agenda para no faltar a la cita con su madrina y su plato preferido.

Era uno de los ahijados quien ayudaba a Chavita en el sacrificio del marrano elegido. A decir verdad, le colaboraba solamente en sostenerlo y darle la vuelta. El resto lo hacía ella con rapidez y precisión. Su método era sencillo: le doblaba hacia adelante la pata izquierda al cerdo; donde llegara la punta de la pezuña, ahí estaba el corazón y ahí enterraba, sin vacilar, el cuchillo largo. El puerco moría instantáneamente. Chavita lo despedía con una mirada tierna, le daba las gracias por haber vivido y le pasaba la mano por los ojos para cerrarle la mirada. Entonces, lo colgaban y lo dejaban desangrar; luego, le quemaban el cuero y la anciana lo tajaba por la mitad. Una por una, iba separando las partes del cochino, del que se utilizaba absolutamente todo: la sangre para las morcillas que tanto le gustaban a su prima, las tripas para los chorizos, la carne para vender en el mercado, la grasa para derretir y regalar por tarros, el cuero para los chicharrones. Y cuando llegaba a las patas, sin dudarlo, pensaba en su ahijado, el "sinvergüenza".

La preparación de los fríjoles con pezuña es muy sencilla. Solamente hay que seguir las instrucciones de los fríjoles cotidianos, poner dentro de la olla las pezuñas cortadas en rodajas gruesas (dos por cada comensal) y cocinar las consabidas tres horas. Pero claro, el sabor del marrano le cambia el panorama a la receta y la convierte en una exquisitez de fiesta.

Pablo se concentraba en su plato y se mantenía en silencio cuando agarraba con las manos las pezuñas embarradas de fríjoles y las roía hasta dejar los huesos pelados. Posiblemente se acordaba de su abuela, que fue tan amiga de Chavita y con la que hacían natillas y tamales; o de su madre, a quien la anciana le sirvió de comadrona y de paño de lágrimas y dolores. Quizá se acordaba de las nalgadas que le dio su madrina cuando había que dárselas. Seguramente pensaba que con toda la plata de este mundo no podía comprar en ningún otro lado un plato de "frisoles" como esos. Y es tan seguro que pensaba en esto y aun en más, que cuando acababa de comer, siempre le ofrecía a la anciana el regalo que ella quisiera: otra casa más grande, un caballo de paso o un viaje al Vaticano y una cena con el Papa.

–Vea, mijo, yo ya estoy muy achacada pa' esas chanzas.

La madrina nunca le pidió explicaciones a Pablo sobre su vida y sus millones. Era él quien le contaba sobre las muchas obras de caridad que hacía con los pobres de Antioquia, de las casas y edificios que construía para ellos, y de las iglesias y capillas que mandaba a hacer para la Virgen María. Chavita no mostraba sorpresa por nada y un buen día le dijo una frase concluyente:

–Vos le has dado mucho al diablo, gran berriondo, y te van a faltar dos vidas pa' que quedés empatado con Dios.

La idea de los fríjoles con pezuñas de hipopótamo nació de una invitación que le mandó Pablo a Chavita para que fuera a conocer el zoológico que había armado en su hacienda. A la madrina más bien le disgustaban las extravagancias de Escobar, así que puso cara de ningún interés. Tratando de animarla, el empleado que venía con la invitación le contó que había más de quinientos animales exóticos, como jirafas, elefantes, toda clase de micos, canguros, guacamayos y hasta hipopótamos.

–Oí, mijo, ¿y vos ya viste los hipopótamos? ¿Cómo son esos animales? Esos sí que no los he visto ni en un retrato.

–Ah, esos no son más que unos marranos más grandes que un berraco, mi doña.

–¿Marranos gigantes? ¿Más grandes que los míos? ¡No digás! ¡Eso sí que voy a verlo!

Y un buen día, sin avisar, Chavita agarró su burro y se fue hasta Envigado. Ya en la hacienda la llevaron en jeep a recorrer el zoológico. A la anciana no le interesaba detenerse ante ningún otro animal que no fueran los marranos gigantes. Y ellos, los hipopótamos, fueron aun más de lo que se había imaginado la madrina: gordos, enormes y prometedores de un sabor inigualable.

La siguiente vez que Pablo fue a visitarla, doña Chava esperó a que él se acabara sus fríjoles para pedirle, por primera vez en la vida, que le hiciera un regalito.

–A usté lo que quiera, madrina. Diga pues a ver.

–Yo lo que quiero es que me regalés uno de los marranos de esos grandes que tenés en la hacienda. Pero, eso sí, quiero el que esté más tierno pa' criarlo con puro maíz peto.

Le costó un buen rato al ahijado comprender que la viejecita hablaba de los hipopótamos. Hacía mucho que Escobar no se reía tanto y esa ocurrencia de su madrina la fue contando en toda reunión que tuvo. Y claro, aceptó darle el regalo.

–Eso sí, madrina, le advierto que esos animales son muy huraños, los jediondos, y no se dejan atrapar muy fácilmente.

–Tranquilo, mijo, que yo me encargo.

Sobra decir que, el día en que Chavita fue por su regalo, los hipopótamos la vieron acercándose, con su cordoncito en la mano, y abrieron unas trompas con colmillos que la anciana nunca había visto en un marrano. No se pudo llevar su presente; aunque eso sí, les advirtió a los encargados de la hacienda:

–El más chiquito es mío y se llama Benjumeo. Ojo a ver cómo me lo cuidan porque un día de estos vengo, lo agarro descuidao y me lo llevo pa' criarlo como cristiano, con mazamorra de maíz peto y cáscara de plátano verde. ¿Ustedes se imaginan los frisoles con pezuña que voy a preparar yo con este puerco?

Pablo murió, como todos saben, a manos de la justicia. A Chavita no se le hizo raro, pero de todas maneras se entristeció y le dedicó docenas de sus rosarios y seis misas. En cuanto le pareció prudente, mandó a un compadre a avisarle a la policía que uno de esos marranos gigantes de Envigado era suyo, y que por favor lo dejaran ahí hasta que ella pudiera recogerlo. De vez en cuando, le mandaba a Benjumeo, con algún pariente, un costal de maíz peto.

Chavita murió, no sin antes heredarle el hipopótamo a una de sus vecinas más queridas. La vecina también murió y no se lo heredó a nadie. Benjumeo creció y se reprodujo junto a decenas de hipopótamos más que viven hasta ahora a las orillas del río Magdalena, en Antioquia, porque los zoológicos no tuvieron espacio para ellos. Hasta la fecha, la receta de frisoles con pezuña de hipopótamo africano no ha llegado a prepararse.

Uruguay
EMPANADAS CRIOLLAS

Corría 1950, era el último partido del campeonato mundial de fútbol en el Maracaná, Río de Janeiro. Se enfrentaban Uruguay y Brasil; un partido difícil. Por esa época, los uruguayos ostentaban numerosos premios internacionales de fútbol que los proclamaban reyes del juego bonito, alegre y limpio. Y Brasil… Brasil siempre ha sido Brasil.

Pani debía andar por los siete años y su hermano, Pepe, por los cinco. Ese día, como cada uruguayo, los dos niños clavaron el oído y el alma en la narración del partido por la radio. Y como a todos, a Pani y a Pepe les dejó de circular la sangre con el primer gol brasilero. Por un solo momento, el aire se hizo gris de tanto silencio. Pero, enseguida, la garra charrúa que llevan los uruguayos dentro les apretó las venas y los obligó a confiar. Los niños fueron más allá. Pani y Pepe, por ejemplo, le prometieron al Ángel de la Guarda que si ganaba su equipo, ayudarían a lavar los platos por un mes... no, por tres meses.

Cuando Schiaffino estampó en el arco el empate para el Uruguay, los dos hermanos gritaron "¡Gooool!" junto al locutor. El aire uruguayo se entibió con hurras, bravos, "gracias Dios mío" y "yo sabía". Era de no imaginarse. Solo por vivir ese momento, valía la pena haber nacido.

Y con la anotación ganadora de Ghiggia, la gente se puso de pie y expresó con gritos su alegría y el orgullo de ser uruguaya". Luego, escuchando la descripción de la radio, se sintieron en el Maracaná, presenciando la entrega de la copa del mundo a sus muchachos y la salida del estadio de los hinchas brasileros, que se iban mirando al piso con la fiesta arrugada en los bolsillos.

¿Quién iba a decir, entonces, que "el maracanazo" sería la última gran felicidad de Pani?

Hasta esa fecha, los chicos del barrio habían revoloteado en torno a su simpatía y entusiasmo. Si él decía que fueran todos a colgarse de cabeza en las ramas de los árboles, así se hacía. Si sugería que corrieran diez veces a la manzana, simulando que eran pilotos de carreras, todos se disparaban como desquiciados, mientras los adultos sonrientes los observaban por las ventanas.

Una de las rutinas de Pani en el barrio era encargarse de que hubiese dos equipos completos de fútbol para los partidos que jugaban por lo menos tres veces a la semana. Si era necesario, les sacaba el permiso a las mamás de los chicos castigados, que, aunque se habían jurado a sí mismas que no cederían, terminaban por caer ante su encanto.

–Doñita, mire que el deporte es salud. Le prometemos que después del juego se lo regresamos para que lo siga castigando. ¡Ande! Vea que nos deja incompleto el equipo.

Era siempre Pani quien se encargaba de llevar el balón bajo el brazo. Y ya en la cancha, era quien recordaba, con sus carcajadas pegajosas de gallina, que el objetivo del fútbol era divertirse. Si su propio equipo ganaba, pues bien. De lo contrario, se encargaba de elogiar con entusiasmo las buenas jugadas de los vencedores.

Pero resultó que después de la victoria en Brasil, los niños de los campitos uruguayos se hicieron más exigentes y se esforzaban por jugar partidos de mejor calidad porque la tinta de sus sueños estaba fresca: cada niño se imaginaba que si llegaba a ser muy bueno, algún día sería llamado a la gloriosa selección del país. Llegaban temprano a la cancha, sin que los llamaran, y solo vieron en Pani al tremendo pata de palo que era, regordete y más bien bajo para su edad. Y lo aceptaban de mala gana en el grupo.

Fue a su hermano menor, Pepe, a quien los equipos se empezaron a disputar.

Apenas le llegaba el balón, ese flaquito entraba en trance. Hasta su mirada adquiría un no sé qué de santo de iglesia. Gambeteaba a cualquiera que se le pusiera por delante e iba dibujando serpentinas por toda la cancha. Su cuerpito cimbreaba y el cabello lacio y rubio bailaba de un lado a otro. Muchas veces los tenderos salían a las puertas exclusivamente para verlo jugar.

Mientras tanto, Pani soportaba, con una sonrisa angosta, el desprecio con que lo trataban y la humillante carga de las culpas por cada gol en contra, cada penalti, cada mal pase.

–Es que el gordo estaba en medio… Yo se la pasé al gordo, pero él estaba dormido… Si en lugar del gordo tuviéramos a un buen defensa…

Y para rematar, Pani tenía que vivir dentro del hogar otros desplantes también relacionados con el fútbol. Federico, su padre, se enteró de la fama de Pepe con el balón (todo el barrio lo sabía), y empezó a tratar al pequeño con atenciones especiales. Con decir que los domingos de partido le reservaba el mejor lugar junto a él y la radio.

–Vení, flaco, que ya va a comenzar.

Después, como disimulando su ostentosa preferencia, llamaba también al otro hijo.

–Vení vos también, gordo.

Y llegó a tanto la situación, que terminó por arruinar el momento preferido de Pani en toda la semana: la hora de comerse las empanadas que mamá preparaba para después del partido por la radio. Desde que las empanadas soltaban su olor en el aceite caliente, a Pani se le aguaba la boca; se las imaginaba crocantes por fuera y, al partirlas por la mitad, humeantes, jugosas, saladitas y generosas. Pero a Federico se le ocurrió que mientras se las comían, iba a educar a Pepe acerca de los grandes héroes uruguayos de las olimpíadas del 28 y el 30, como José Leandro Andrade o Perucho Petrone. Supuestamente, hablaba para sus dos hijos, aunque le dirigía a Pani solo algunas miradas que le sobraban y que igual hubiera podido dedicar al caballo de porcelana en el estante.

Por situaciones como esa, llegó un domingo en el que a Pani sus queridas empanadas se le hicieron amargas en la boca. El niño sintió que la resistencia se le había trizado de un balonazo y se hizo a sí mismo una declaración tajante: todos se podían meter el balón y la radio por donde les cupiera porque desde ese día en adelante, lo juraba, el fútbol le importaba un reverendo y grandísimo chorizo.

Luego, tomó su segunda decisión. Ya no le gustaba el fútbol, pero por oposición a su padre, a su hermano y a los vecinos, que eran del Nacional, él se haría hincha del Peñarol. No se lo dijo a nadie; de todas maneras, su hermano pequeño lo sabía.

–Mirá, papá, el gordo está feliz porque ganó el Peñarol.

–¿Yo? Pero si yo no he dicho nada.

–Yo te vi cuando sonreíste apenas terminó el partido. Papi, castígalo.

Ahora que detestaba el fútbol, Pani debía encontrar algo que hacer los domingos de partido. Luego de deambular por el barrio desierto y regresar aburrido a la casa, entraba a la cocina para hacerle compañía a la madre. Ella, doña Mireya, dedicaba ese tiempo a hacer sus empanadas. Al inicio las preparaba solamente para la familia. Después, para los vecinos también; y las hacía por pura generosidad porque así era ella y porque el placer más grande del buen cocinero es imaginarse la satisfacción de los demás al probar sus recetas.

–Qué delicia, Mireyita. ¿Podés vendernos una docena?

–No, mujer, qué ocurrencia. Yo las hago por cariño, no por dinero.

–Ah, no, Mireya. Si no me cobrás, no vuelvo a recibirte ninguna. Mirá que los ingredientes cuestan y las empanadas dan mucho trabajo.

Así los vecinos, de a poco, obligaron a Mireya a empezar el negocio de empanadas en el barrio durante los fines de semana. Y no lo hicieron porque quisieran conseguirle empleo, sino porque, la verdad, ya las madres no querían perder el tiempo preparando las suyas propias.

–Mujer, las de Mireyita quedan más jugosas.

–Vieja, me parece que se te fue la mano en la sal.

–Preguntale a Mireyita cómo le salen tan crujientes.

Entonces, sábados y domingos, Mireya tenía que dedicarlos a las empanadas de los vecinos. Y Pani se instaló en la cocina con su depresión y su madre.

Mireya no terminaba de tragarse eso de ver a su hijo metiendo los dedos en las ollas y apurando con sus ansias las empanadas en el aceite. Y así como se le ocurrió un día, de repente, que iba a poner gelatina al relleno de las empanadas para asegurarles una contextura suave, se le ocurrió también una propuesta para sacar a su hijo de la cocina y al mismo tiempo devolverle el ánimo: le encargó que recorriera el barrio preguntando cuántas empanadas querían los vecinos.

–Te voy a dar una comisión por cada empanada que vendás. Imaginate, querido; podés ahorrar para comprarte un balón de fútbol… ¿No te gustan más los balones? Bueno, y… ¿qué sé yo? Podés comprarte una bicicleta. ¡Imaginate!

¡Una bici! Nadie en el barrio ni en los alrededores poseía una. Él sería el primero y entonces sí quería verles las caras a todos esos atorrantes. La madre había logrado animar a su hijo.

–Hola, Beto. No, no te vengo a buscar a vos. Llamala a tu vieja, por favor… Señora, ¿cuántas empanadas criollas le vamos a poner hoy? ¿Solo diez? ¿Segura? ¿Y por qué? ¿No les gusta el ají dulce a los chicos? No hay problema, doña, le hacemos diez más sin ají para que coman todos. Nadie se puede quedar sin probar las deliciosas empanadas de doña Mireya.

El encanto del niño, aporreado pero no destruido, funcionó, y el negocio prosperaba de manera sorprendente con cada domingo que pasaba, pues una vez copadas las ventas en el barrio, Pani encontró nuevos clientes en las cuadras cercanas.

Fue por esa época cuando nació el apodo que el niño tendría durante toda su vida: el "Pani". Cuando los vecinos oían tocar a su puerta, los fines de semana, alguno sentenciaba:

–Debe ser el chico de las empanadas.

Y un día, algún gracioso redujo la frase:

–Debe ser el Empanado.

Y para darle cariño y gracia al asunto, porque el chico les caía bien a todos, alguien abrevió el apodo, que de "Empanado" terminó en "Pani".

–Vieja, el Pani pregunta cuántas empanadas nos vamos a servir hoy.

En algo más de un año, el negocio de empanadas del Pani y de doña Mireya acabó siendo la entrada principal de dinero en casa.

El padre trabajaba en una fábrica. Él y Mireya se habían venido del campo a Montevideo porque cada vez el trabajo con el ganado pagaba menos. Se mudaron atraídos por los empleos que ofrecían las nuevas industrias en la ciudad. Pero desde el 50, cada mes el sueldo rendía menos y los artículos costaban más. Si había que comprar un par de zapatos para uno de los chicos, ya no alcanzaba para mayor cosa. Hasta que llegaron las empanadas para hacer algo más holgada la economía de la familia.

Eso sí, le tocó poner el hombro a Federico, pues ya doña Mireya no daba abasto con los pedidos que recolectaba Pani. Todos los fines de semana, antes de sentarse a oír el fútbol, el padre alistaba los ingredientes para la masa: harina de trigo, polvo de hornear, sal, grasa derretida, yemas de huevo y agua.

Pani sostenía el tamiz y le daba golpecitos en el lado, mientras su padre agregaba la harina, el polvo de hornear y la sal. Se iba formando una gran montaña suave sobre la mesa enorme que tuvieron que comprar. Con el puño, el niño hacía un hueco para formar el hoyo del volcán blanco. Allí su papá colocaba la grasa, las yemas y el agua. Con tenedores en mano, los dos se dedicaban a unirlo todo.

Después el padre golpeaba, estiraba y recogía hasta dejar lisita la masa. La dejaba reposar por media hora. Luego tomaba el rodillo y la extendía como le enseñó su esposa: desde el medio hacia fuera, para arriba, para abajo, para la izquierda, para la derecha, repetidamente hasta que obtenía una lámina delgada de masa. Enseguida cortaba círculos con una lata de conserva. Con rapidez, los iba poniendo en una pila separada por plásticos gruesos que iba colocando Pani. Todo estaba listo para que la madre pusiera el relleno y sellara las empanadas con ayuda de su hijo mayor, mientras papá se dedicaba a la radio.

Pepe era el único que no tenía nada que ver con el negocio. Los fines de semana estaba ocupado jugando partidos de fútbol interbarriales con un equipito en el que era capitán, actuando en el club de teatro de la escuela, jugando basquetbol, ayudando a la maestra con la cartelera de la clase y asistiendo al cura en la misa de los domingos en la mañana. Y todo lo hacía con una excelencia que causaba admiraciones.

Pani, al contrario de su hermano, parecía torpe en todo lo que hacía en la escuela. Avanzaba a tropezones y se ganaba la impaciencia de los profesores y compañeros. Sin embargo, aunque no le fuera bien en matemáticas, no permitía que nadie fallara ni en un centavo en los pagos por las empanadas. Y aunque sus letras de araña y su lectura tartamuda hicieran rabiar a la señorita de español, tenía un discurso fluido y convincente para conseguir cada vez más clientes.

Lamentablemente, al chico se le fueron instalando en la memoria solo las burlas de sus compañeros de clase y las comparaciones que las profesoras le hacían con su hermano; se sentía tonto y feo. Se refugiaba en su casa y en las empanadas y se ilusionaba con pensar que algún día sería inclusive mejor que Pepe. Se compró la bicicleta, que fue más una inversión que un regalo, y nunca volvió a comprarse nada más. Ahorraba para sus sueños del futuro.

Con los años, los dos hermanos crecieron y el negocio también. El padre dejó su trabajo en la fábrica, que al fin y al cabo le pagaba tan poco, e instaló, en el garaje de la casa, un local para que vendieran las empanadas todos los días. En un año, tuvieron que ampliarse también a la sala para darles espacio a los clientes.

Pepe terminó sus aplaudidos años de colegio y decidió entrar a la universidad a estudiar medicina. Nadie le preguntó a Pani si quería ir a la universidad y él tampoco dijo nada, así que continuó en el negocio de las empanadas con sus padres. No le crecieron mucho las piernas ni se le endureció la barriga; más bien lo adornó desde muy joven una calvicie prematura. No estaba orgulloso de su vida, que creía tan desabrida; aunque, a decir verdad, se sentía a gusto en el negocio, entre las masas de empanadas que podía repletar de nuevos rellenos que creaba pensando en los demás, y entre los clientes a quienes se esmeraba en atender uno por uno, como si fuesen ministros de Estado.

Mireya sonreía al cielo cuando agradecía por sus dos hijos tan buenos. Don Federico sacaba pecho por las glorias de Pepe; sin embargo, tantos años haciendo y vendiendo empanadas junto a Pani, le crearon un respeto sincero por su hijo mayor y un cariño, además de padre, de amigo.

–Pani, vení a conocer a José Nazassi que nos ha hecho el honor de visitarnos. Es el gran capitán de la selección uruguaya del 30.

Federico había decorado el negocio con banderines del Nacional, recortes de periódicos y fotos de las grandes glorias futbolísticas del Uruguay de antaño. Y con frecuencia, además de los adornos, llegaban al local los mismísimos héroes de las victorias uruguayas en persona. La mayoría de ellos eran ancianos y gente madura que se veía enferma y miserable; varios eran alcohólicos. Aunque para Federico, eran sencillamente los ídolos de siempre y se hacía el ofendido si trataban de pagarle las empanadas o los mates.

Al inicio, Pani miraba con reproches de administrador la generosidad del padre y observaba de reojo sus reuniones con esos clientes de bolsas oscuras bajo los ojos. Federico se daba cuenta de la actitud de su hijo, la misma que asumía de chiquilín en todo lo relacionado con el fútbol. Pero se empeñó en que Pani conociera a las glorias del país y, casi a empujones, lo ponía frente a ellos.

Bastaban unas palabras de Federico para motivarles el habla y los recuerdos a esos invitados.

–Háblenos del partido en Italia. Dele, mire que mi hijo quiere escucharlo.

Al principio se mostraban renuentes, pero la pasión les invadía el cuerpo como un virus feroz que les devoraba la vejez. Entonces, sus voces y sus ojos brillantes narraban las jugadas que habían vivido siglos atrás, cuando el fútbol uruguayo todavía era lindo. Esas descripciones le fueron tomando el corazón a Pani con el puño. Esos relatos le hicieron sentir el balón rodando fiel delante de sus pies y pasando debajo de las piernas de los oponentes. Sentía cómo le jalaban la camiseta por detrás y le propinaban patadas envidiosas en las pantorrillas. De cualquier forma, el cuerpo y la pelota no tenían paz hasta que provocaban en los hinchas el grito de gol que hacía frenar el mundo por un momento. Y en Pani se desperezó el gran amante del fútbol que siempre tuvo por dentro: el que admira el juego bonito no importa de dónde venga. Entonces, volvió a sentarse, los días domingo, codo a codo junto a su padre y la radio.

En casa, Pepe y Pani seguían compartiendo la misma habitación de siempre. Apenas si se hablaban porque supuestamente los dos llegaban muy cansados a dormir y no había oportunidad. De pasada, Pani veía a su hermano estudiando en el comedor, muchas veces con compañeras y compañeros, rodeados de risas, libros, guitarras y cantos. Doña Mireya se encargaba de alimentarlos y de lavar con jabón de orgullo las batas blancas del futuro médico.

Un día, Pani encontró su habitación con las paredes empapeladas por los retratos de un hombre barbudo y de boina roja con una estrella, que miraba al horizonte. Ya lo conocía de los diarios que leía y comentaba con Federico: era el famoso Che Guevara. ¿Cubano, argentino? Pepe colgó también banderines rojos de los partidos de izquierda. Por un momento, Pani pensó en reclamar porque ese también era su cuarto; de cualquier manera no se sintió con ánimos de empezar una polémica y lo dejó pasar, como todo.

Por las conversaciones que tenía Pepe con su padre, Pani se enteró de los nuevos intereses de su hermano. Hacía parte de un movimiento de universitarios y gente de izquierda que apoyaba a los trabajadores de caña de azúcar del norte, que venían a Montevideo a reclamar sus propias tierras. El gobierno no estaba dispuesto a complacerlos y, lo que era peor, los reprimía violentamente con la policía y los grupos fascistas. Por eso, los trabajadores necesitaban quién pusiera la cara junto a sus rostros humildes.

En Federico había orgullo y comprensión por el idealismo juvenil de Pepe cuando hablaba de cambiar el país; aunque también había preocupación.

–Tené cuidado, hijo.

Después de poco tiempo, Federico y Pani se enteraron, por la prensa y la radio, de la existencia de un grupo de jóvenes que pintaban las paredes con lemas contra los capitalistas y se burlaban de la policía y el orden establecido. Se hacían llamar "Los Tupamaros". Federico fruncía el ceño porque adivinaba que Pepe andaba en aquel asunto y que el gobierno no se iba a dejar burlar tan fácilmente. Y conversando con los clientes, Pani se dio cuenta de que su hermano, junto a sus amigos revolucionarios, poco a poco estaba logrando lo de siempre: ganarse la simpatía de todos. La gente sabía que el grupo luchaba para que hubiera salarios justos, la riqueza no estuviera en manos de unos cuantos y los gobiernos capitalistas no hicieran callar a golpes y muerte la voz del pueblo.

Una madrugada, Pepe y unos amigos llegaron felices a la casa. Se instalaron en el comedor a devorar empanadas frías y a dejar escapar migajas entre las sonrisas. Al siguiente día, Pani dedujo que habían llegado de la última acción de Los Tupamaros, que pasaba de boca en boca entre los vecinos: robaron grandes cantidades de víveres que repartieron en los barrios más pobres.

El gobierno se hartó rápidamente de escuchar en cada esquina sobre las hazañas de los "Robin Hood marxistas" que, como moscas, perturbaban la tranquilidad de su bonanza. Por eso les prohibió a los medios de comunicación que siquiera mencionaran el nombre de Los Tupamaros. Irónicamente, la gente empezó a llamarlos "Los Innombrables". Y si oficialmente no se informaba sobre sus acciones, de ello se encargaban los rumores del pueblo.

Los encuentros entre los revolucionarios y la fuerza pública se hicieron más violentos y pronto hubo muertos de ambos lados. Además, Los Tupamaros eran apresados y, en las cárceles, los policías practicaban con ellos las lecciones de tortura que aprendían de sus compañeros de Argentina, Brasil y Chile, y de los maestros de la CIA.

Por supuesto, Pepe pasó a vivir en la clandestinidad y ya casi no aparecía en casa. Mireya se la pasaba con lágrimas fáciles en los ojos y el rosario en la mano. Federico andaba pendiente de las noticias que le traían los vecinos.

Un día, temprano, llegó al negocio un joven con facha de mecánico. De espaldas se notaba que tenía el cabello y la barba crecidos. Pani se acercó, se alistó para tomar el pedido y lo miró a los ojos. Era Pepe.

–Ya te llamo al viejo.

–No, hermano. Es contigo con quien necesito hablar. Sentate un momento.

¿De qué asunto podían hablar ellos dos? Pepe le explicó que Los Tupamaros debían encontrar maneras de subsistir. Los amigos del campo les regalaban ganado o ellos lo robaban de los grandes hacendados. Contaban, pues, con buenas cantidades de carne de res y de cerdo ya faenada, pero necesitaban aprender métodos para conservarla por largo tiempo y repartirla entre los compañeros. Decidieron que debían hacer chorizos. El problema era que no tenían ni la más mínima idea de cómo hacerlos. Pepe quería que Pani averiguara cómo se preparaban y se los enseñara a hacer. Alguien podía recogerlo un día y llevarlo a un centro tupamaro o, si se sentía más cómodo, podría enviar a un compañero para que aprendiera ahí mismo en el negocio.

–No, no, yo voy a donde vos digás –Pani habló con decisión–. Nuestro proveedor de carne prepara sus propios chorizos. Es amigo y seguro que me enseña a prepararlos en cuanto se lo pida. Comunicate conmigo en tres días y nos ponemos de acuerdo.

Por vez primera en años, los hermanos se vieron a los ojos. En Pani afloró lo que era natural en él: las ganas sinceras de servir y el deseo que siempre tuvo de acercarse a su hermano cuando hubiese el más mínimo pretexto. ¿Fue también por sentirse cerca a su hermano que Pepe solicitó la colaboración de Pani? Es muy posible.

Tal como prometió, Pani pidió que le enseñaran a elaborar chorizos. Para empezar, hay que tener la carne y las capas de grasa animal bien molidas.

Después viene el aliño y la cantidad exacta de un conservante. Se debe embutir en tripas de cerdo y, por último, dejar secar. Era sencillo. Eso sí, los chicos iban a necesitar las tripas de cerdo bien limpias y por lo menos una máquina que sirviera para moler y embutir. Y sin que se lo pidieran, Pani recorrió los comercios e hizo las compras necesarias con su propio dinero.

A los tres días, una amiga de Pepe fue a verlo al negocio. Pani estaba listo y se dejó llevar a uno de los centros de Los Tupamaros o Movimiento de Liberación Nacional, MLN. Se trataba de una casa abandonada en la playa y corroída en todas partes por el óxido del mar. La sala estaba vacía. Los jóvenes se encontraban en los cuartos traseros, escribiendo o hablando. Había pancartas, panfletos, pintura roja, carteles de Fidel Castro y del Che.

La joven que estaba con Pani lo presentó de inmediato.

–Este es el hermano de Pepe.

Todos le sonrieron amistosamente. Ya sabían por qué estaba ahí. Varios se pararon a saludarlo. Pani aún se sentía cohibido con la gente de Pepe; daba la mano húmeda de nerviosismo y no levantaba mucho la mirada. La joven lo llevó a la cocina y Pani acomodó la moledora. A su alrededor se ubicaron tres jóvenes encargados de aprender el proceso de elaboración de los chorizos. Tomaban notas en sus libretas, con máxima seriedad, como si se tratara de una conferencia sobre la teoría marxista.

Cuando terminaron y los chorizos colgaban ya en las cuerdas que instalaron en uno de los cuartos, se fueron a reunir con los demás en el patio de la casa. Parecía que estaban en un momento de descanso. Unos fumaban relajados, algunas chicas tomaban el sol recostadas sobre la hierba. Invitaron a Pani a sentarse y le pasaron un mate. El invitado todavía no se sentía muy en confianza, aunque por decir algo, propuso con timidez que frieran unos chorizos para que todos les dieran el visto bueno. Los tres aprendices de Pani no esperaron a que lo repitiera y se levantaron. En quince minutos trajeron la tanda de chorizos para todos. La calificación fue unánime: ¡Deliciosos!

En ese momento llegó Pepe. Los muchachos le contaron lo bien que habían resultado los chorizos y lo mucho que habían aprendido con Pani. Pepe sonrió satisfecho y a Pani le pareció que a su hermano el orgullo lo hizo enderezarse y alzar la cabeza para luego sentenciar:

–Y eso que la especialidad de mi hermano no son los chorizos. Pani prepara las mejores empanadas de la ciudad. ¡Las mejores! No es broma. Mamá le enseñó a hacerlas y él las perfeccionó.

En ese preciso instante, a Pani se le ocurrió añadir una frase que lo llevaría dentro de poco a un calabozo de tortura:

–Puedo enseñarles a prepararlas. Así se aprovecha de otra manera la carne molida.

Los tres aprendices de los chorizos se mostraron interesados y entusiastas, y enseguida concretaron con su maestro el día de la próxima clase.

Pani regresó a su casa. Estaba feliz. Tantos años en la cocina haciendo empanadas, atendiendo a miles de clientes y nunca había sentido que su trabajo pudiera valer tanto. No lo reconocía, pero el valor lo había impuesto el orgullo de Pepe por él. De inmediato, Pani hizo una lista de los ingredientes, ollas y sartenes que iba a necesitar para cincuenta empanadas. Quería tener todo preparado.

El día concretado vino una muchacha a recogerlo y viajaron en bus hasta el mismo centro del MLN de la primera vez. En esta ocasión, el lugar estaba solo. Se encontraban únicamente los tres chicos que aprendieron a preparar los chorizos. Al parecer, eran los encargados de las provisiones. Esta vez trataron a Pani con toda confianza, como si fuera uno más de ellos.

Pani les enseñó a preparar la masa para las empanadas y a tener listos los círculos. Luego se repartieron el trabajo de picar y medir los ingredientes para preparar el relleno: pedazos pequeños de cebolla blanca y ají verde dulce; tomates pelados, sin semillas y en cuadros; caldo de carne, gelatina en polvo sin sabor, laurel partido, orégano desmenuzado, sal, comino, pimienta, ají molido, carnaza de ternera picada, huevos duros cortados en rodajas finas, aceitunas verdes partidas en mitades y pasas de uva sin semilla.

En una cacerola grande pusieron un poco de aceite y, cuando estuvo caliente, agregaron la cebolla y el ají verde; después, una a una, las demás cosas. Dejaron cocinar todo por veinte minutos a fuego lento. Los tres revolucionarios alabaron el olor del guiso cuando sintieron sus bocas llenarse de saliva ansiosa. Uno sonrió al ver el montón de panfletos apiñados en la cocina, a los que nadie podría sacarles el olor a empanadas criollas.

Pani hizo que cada muchacho tomara una cuchara y probara. Sus lenguas debían memorizar el sabor del guiso perfectamente sazonado. Después pasaron a armar las empanadas.

–Se toma una cucharada bien colmada del preparado de carne y se coloca en el medio de cada círculo de masa, que se apoya en un pedazo de plástico. El plástico evita tocar la masa y que se quede pegada en los dedos. Luego, se pintan los bordes con agua y se cierra la empanada. Entonces se puede retirar el plástico y colocar la empanada sobre una tabla. Falta el toque final: marcar los bordes con los dientes de un tenedor. Esto es solamente un adorno.

En lugar del tenedor, Pani y su madre hacían dobleces en los filos de las empanadas y formaban unos rizos profesionales.

Cuando ya tenían las empanadas listas para freír, todas en orden, igualitas y obedientes, pusieron una olla amplia, llena de aceite hasta la mitad. Estaban esperando a que se entibiara la grasa; solo tibia porque, de acuerdo con Pani, el secreto de una cubierta crujiente estaba en poner las empanadas en aceite tibio e irlo calentando poco a poco.

De pronto, en plena explicación, se abrieron las puertas y las ventanas de la casa, todas al mismo tiempo y con gran escándalo. Entraron por lo menos veinte policías apuntando con sus armas, como quien asalta un centro militar del enemigo en plena guerra. Seguramente pensaron que se iban a encontrar con cincuenta revolucionarios armados. Pero estaban solo cuatro y con las manos llenas de harina y cebollas. Al verlos alrededor de los guisos, se quedaron sin saber qué hacer, mirándose las caras. Reaccionaron pronto, luego de ver el lugar lleno de panfletos y banderines rojos.

Les ordenaron con gritos que alzaran los brazos. Pani lo hizo sin soltar una empanada cruda que todavía tenía en la mano. Después alguien lo tiró al piso. La empanada quedó embarrada contra su pecho. Recibió las primeras patadas en el estómago y en la espalda. Todo era tan rápido. Le ataron las manos por atrás con esposas. Le colocaron una capucha negra en la cabeza. Lo levantaron y lo sacaron de la casa a empujones y lo subieron a un auto. Lo insultaban y cada palabra la acompañaban de un coscorrón o un puñetazo. Le dolía la nariz y Pani pensó que se la habían quebrado a golpes.

Los policías hablaban por radio. Les comunicaban a otros que habían cumplido la misión, aunque habían encontrado a cuatro desgraciados solamente. El viaje no duró mucho. Por fin bajaron a Pani y lo empujaron hacia algún cuarto en donde lo dejaron, tirado en el suelo. Allí estuvo mucho tiempo, o por lo menos eso le pareció a él. Era un lugar frío. Olía a humedad y a orines. El muchacho no se atrevía a pararse. Tenía miedo de enojar a alguien.

Tuvo tiempo de pensar en lo que sucedía; en que estaba ahí por error, en que tal vez debía pedir hablar con alguien. En que debía ser la hora de más clientela en el negocio y él no estaba ahí. Primera vez que faltaba. Su madre estaría preocupada. ¿Se acordaría de que había que descongelar la carne para el otro día? ¿Se enteraría Pepe de que los habían capturado? ¿Qué habría pasado con las cincuenta empanadas que hizo con los chicos? ¿Le avisaría Pepe a su padre que él estaba preso?

Pasaron las horas. Le sonaba el estómago que no se enteraba de que no era ocasión para el hambre. Después de mucho soportar, tuvo que orinarse en los pantalones. Se atrevió a pararse lentamente porque el piso estaba muy frío. No veía ni siquiera sombras detrás de esa capucha. Movía la cabeza en dirección de los sonidos que percibía. Ecos lejanos de gritos, de puertas que se cerraban y abrían, de una máquina de escribir.

Por fin vinieron por él. Lo agarraron por los brazos y lo llevaron a otro lugar. Lo desataron y le ordenaron que se desvistiera. Menos la capucha. Le tiraron varios baldes de agua fría. Así, desnudo, lo sentaron en una silla y empezaron a golpearlo. Sus agresores eran dos. Lo deducía por las voces que lo insultaban, que le preguntaban a gritos a cuántos policías había matado, pero que no lo dejaban responder.

Por fin le quitaron la capucha. Un policía que vestía un uniforme de mayor rango que el de quienes lo habían golpeado acercó una silla y se sentó frente a él. Aquello parecía una cueva.

–Gordo, no queremos hacerte más daño. Si cantás ahora, te evitarás mucho dolor, creeme.

–Es que yo…

–Mirá, solo tenés que decirme la dirección de otras centrales del MLN y los nombres y los datos de algunos cabecillas. ¿Te das cuenta de que no es nada difícil, gordito?

–Mire, mi teniente, si yo supiera algo…

–Ay, gordito, estoy siendo bueno con vos. No me hagás enojar porque vos no sabés cómo me pongo…

–Yo no sé nada porque…

–Te lo advertí, hijo. Muchachos, es todo suyo.

El hombre salió. Por atrás alguien le volvió a colocar la capucha. No le pegaron de inmediato. No había ningún sonido, ningún movimiento. Pani estaba allí, esperando el primer golpe, que adivinaba mucho más fuerte que los anteriores. ¿Sería en la cara, en el cráneo, en uno de los brazos? Hubiese preferido los golpes a esa angustia de esperar. Era como haber saltado de un edificio y estar flotando en el aire, aguardando estrellarse contra el piso. Nada todavía. Si por lo menos estuviese padeciendo todo eso por un ideal. Si por lo menos fuera de verdad un tupamaro. Si por lo menos supiese algo, se sentiría héroe, mártir de la causa, del país.

Lo tomaron de los brazos y, como a un bulto, lo lanzaron al piso de una celda. Era húmeda, apestosa, fría. Pani estaba desnudo. Se acurrucó y lentamente fue arrastrándose hasta llegar a una pared. Se abrazó las piernas, se hizo un ovillo.

¿Le había dicho a su madre que al siguiente día había que entregar doscientas empanadas a las nueve de la mañana? ¿Se lo dijo? No se acordaba. Serían los golpes. ¿Era ya el otro día? Dormitaba por ratos. Lo despertaban los llantos de un hombre en alguna celda vecina o las pisadas potentes que iban y venían.

Lo obligaron a pararse y lo llevaron a otro lugar. Le sacaron la capucha. Otro cuarto oscuro. Lo mojaron con un balde de agua y lo acostaron en una camilla forrada de aluminio. El frío era insoportable. Pani sabía que lo iban a someter a descargas eléctricas. Un policía tenía ya los cables en la mano, aunque no se movía aún. Parecía aguardar algo. Otra vez la angustia de la espera.

Entró el hombre que lo interrogó antes.

–Tú lo quisiste, gordito. Ahora sí vas a cantar y en voz bien alta para que te escuchen hasta el Monumental.

El policía de los cables se acercó con decisión. En ese momento, entró al lugar otro teniente.

–Oíme, gordo, ¿vos no sos el Pani?

El muchacho volteó a verlo, pero no lo reconoció a primera vista.

–Sí, mi teniente, así me dicen todos.

–Claro que eres el Pani. Por favor, ¿quién les dijo que este gordo era guerrillero? ¡Este es el bobo del barrio! Desde pibe se ha dedicado a ayudar a su madre a preparar empanadas para vender. No hace nada más. Este no sería capaz ni de hacer explotar un globo de fiesta. ¿En dónde lo apresaron?

–En la casa de la playa que asaltamos hace dos días, mi teniente.

–Yo estaba haciendo empanadas y…

–¿Es verdad que estaba haciendo empanadas?

–Sí, se podría decir que lo agarramos con las manos en la masa. Y olían muy bien las ollas.

–Claro, si este gordo y su familia hacen las mejores empanadas de Montevideo. El guerrillero es su hermano José. Siempre le tuve bronca a ese flaco sabelotodo. Mirá, gordo, en lo que te ha metido tu hermano. ¿Qué hacías vos en un centro guerrillero? ¿Se puede saber?

–Estaba haciendo empanadas.

–Oíme, Javier, te doy mi palabra que tú y yo somos más guerrilleros que este pobre tonto. Además, yo tengo una deuda con su familia. Cuando a mi viejo no lo quisieron más en ningún equipo de fútbol y se le dio por entrarle al licor, mamá lo botó de casa. Don Federico, el papá de este gordo, lo tenía casi viviendo en su negocio. Me acuerdo que le puso a mi viejo una bandera uruguaya en el ataúd e hizo que cantáramos el himno nacional para honrar sus glorias en la cancha. Don Federico es un personaje. Si esa familia es pan de Dios. El hermano es otra cosa. La oveja negra. Seguro que se estaba aprovechando del gordo con engaños.

–Hagamos una cosa, morocho, y solo porque sos mi amigo –dijo el que lo había interrogado antes–. Que vistan a este bobo y lo lleven a la cocina. Si es capaz de prepararnos una bandeja de las mejores empanadas del país, queda libre. Si no, yo mismo lo destripo.

–Me parece bien. Ya verás lo que son empanadas. A trabajar, Pani, y a ganarte tu libertad.

En la cocina, Pani no podía concentrarse. Le temblaban las manos. Le dolía la cabeza y le sangraba la nariz. Gracias a Dios que la receta de las empanadas criollas era ya parte de él y no tenía que pensar para hacerlas. Una señora le iba pasando los ingredientes que él pedía. Los dedos se le movían solos. En una hora, tuvo cincuenta empanadas doradas y con olor a ángeles. Se las entregó a un policía, que de inmediato salió de la cocina con la bandeja. Pani se quedó limpiando y lavando los trastes. Apenas terminó, fue un soldado a informarle que lo mandaban a felicitar por las empanadas y que estaba libre. Así no más. No hubo otra palabra.

Nuevamente le pusieron una capucha negra, lo treparon a un auto y lo tiraron en cualquier parque. Le habían colocado un uniforme de soldado. Caminó mareado por las calles. Pasó un taxi que al verle

rlo. El segundo sí lo

empanadas, se des-
n sus padres al lado.

quiero hablar de eso.
ninaba aún de recu-
ada por teléfono.
soltaron tan rápida-

nada.
s cosas sobre tu her-
nuestras maneras de

a llamarlo. Mireya y
po estropeado de su
ucho peor el destino
equivocaron. El go-
junto a los máximos
ía a suceder otra ha-
sos serían ejecutados
inmediatamente.

La madre enfermó de sufrimiento. Pani se animó a buscar en el barrio al teniente que logró que lo liberaran. Le rogó que permitiera que Mireya viera a su hijo en la cárcel. Pero fue imposible. Pepe no podía recibir ninguna visita. Lo que sí pudieron fue mandarle una carta de la señora a la prisión y traer una de Pepe, que le aseguraba a su madre que estaba bien. Doña Mireya murió luego de nueve meses.

Pani siguió al frente del negocio. Don Federico estuvo a su lado, encargándose de atender como se debía a las glorias del fútbol uruguayo y a sus amigos en necesidad.

Una tarde, Pani recibió, con la misma cortesía de siempre, a una clienta nueva, una linda joven de provincia con voz fuerte y franca. Conversaron, ella regresó muchas veces y, después de un año, se casaron. En la mirada de su mujer, Pani vio reflejado, al fin, al hombre que de verdad era. Y orgulloso de su inteligencia y su don para ganarse a la gente y mejorar los guisos, desplegó todas sus ganas y con ellas otro local y otro, hasta llegar a seis locales de empanadas en diferentes sectores de la ciudad, que dirigía junto a su esposa.

Pepe se quedó en la cárcel durante quince años. Sí, quince años. Sin derecho a visitas y con el deber de soportar las torturas físicas y psicológicas que se les antojaban a los militares que se turnaron su cuidado. El teniente amigo de la familia le permitió a Pani y a Federico enviarle una carta al mes junto con cien empanadas. Noventa y cinco se las comían los guardias; el resto le llegaban al destinatario. Eso sí, las cartas eran revisadas con minuciosidad. Federico y Pani escribían simplemente sobre la gente del barrio y sobre fútbol.

Cuando Pepe quedó en libertad, llegó a casa de su padre sin previo aviso. Con el cuerpo acabado como el de un viejo. Tenía una novia que lo había esperado todo ese tiempo. Se casó con ella y les anunció a su padre y a su hermano que se dedicaría a la militancia del partido que ayudaba a los sindicatos a reclamar sus derechos. Como Pepe, muchos tupamaros conservaron el sueño de la revolución. Otros, no pocos, vendieron sus ansias juveniles a los gobiernos de turno.

Federico enfermó y los dos hermanos lo acompañaron mucho tiempo en la clínica. Y tuvieron tiempo de conversar.

–Nunca te pedí perdón, porque si te torturaron esa vez fue por mi culpa.

–No fue culpa de nadie, flaco. Por si no te acordás, yo mismo me ofrecí a enseñarles a preparar las empanadas. Y me caían muy bien esos muchachos. Aquí entre nosotros, si hubiese pasado más tiempo con ustedes, me habría hecho tupamaro. Pepe, cuando estuve preso, te juro que no dije nada. Ni siquiera mencioné tu nombre. Yo no sabía nada. Lo juro por mi familia.

–Eso ya lo sé. Y si hubieras sabido algo, igual no lo habrías dicho. Tú eres la mejor persona que conozco.

Federico murió. Pepe y su hermano siguieron viéndose todos los domingos. Se sentaban frente a la televisión junto a los dos hijos de Pani. Al Nacional le iba muy bien en los torneos locales. En los partidos internacionales, por desgracia, Uruguay perdía a menudo. Sin embargo, en el fondo, Pepe y Pani no se desprendían de la esperanza de ganar algún día, nuevamente, otro campeonato del mundo y disfrutarlo juntos en esa sala, como cuando uno tenía siete años y el otro cinco.

Perú

AGUADITO DE POLLO

Cuando mi padre probaba el primer bocado de un plato típico hecho por mamá o alguna vecina, yo sonreía divertidísimo porque él siempre tenía la misma reacción: entrecerraba los ojos y luego alzaba una ceja, mientras decidía con la lengua qué ingrediente faltaba o cuánto calor de más o de menos se le había dado al guiso. La verdadera comida peruana estaba solamente en los platillos que él mismo preparaba. Picante de camarones, cebiche de pulpo o arroz con pato eran algunas de las especialidades de papá que disfrutábamos los domingos. Pero el aguadito de pollo lo cocinaba también para las madrugadas de los viernes o sábados.

–Vieja, alista las cosas que voy a preparar un aguadito para los muchachos.

Aguadito de pollo, así en diminutivo, llamamos los peruanos a una deliciosa sopa espesa con arroz, el ave, mucho culantro y un buen punto de ají, que se asocia con el final de las fiestas de los limeños. Para comenzar con los preparativos, mamá compraba un pollo entero, grande y rosado, como eran los de antes. Lo partía en presas y lo dejaba macerando varias horas con tres cucharadas de sal, media cucharadita de pimienta, tres dientes de ajo, media cucharadita de comino y el jugo y la ralladura de un limón y una naranja.

Con un pollo alcanzaba para seis buenos platos de aguadito, porque seis eran los integrantes del grupo con el que papá interpretaba música criolla una vez por semana en el lugar donde los dejaran entrar y les ofrecieran algunas cervezas: peñas de los alrededores, fiestas familiares o simplemente dentro de una tienda de barrio. El remate de esas jornadas era con frecuencia el aguadito en nuestra casa.

–¿Dónde está Joaquín? Ya vamos a empezar.

Entonces, yo enfilaba rápidamente hacia la cocina, me subía en un banco y agregaba aceite en la olla vieja hasta cubrir la base. Mi padre prendía la hornilla y yo tomaba distancia cuando él colocaba las presas de pollo en el aceite caliente que enseguida chispeaba como aplaudiendo el buen espectáculo que estaba a punto de empezar.

Cada vez que cocinábamos, papá me repetía los pasos de las recetas casi con las mismas palabras. El objetivo, bien logrado como se puede notar, era que se me quedaran grabados en la mente. Así aprendí que las presas del aguadito deben estar doradas por todos lados. El fuego tiene que ser alto porque no necesitamos que el pollo se cocine por dentro; solo le estamos dando el colorcito dorado que seduce la vista. El ave se terminará de cocinar después, en el caldo. De todas maneras, a mí se me hacía agua la boca ante el olor y la pinta del pollo frito por muy crudo que estuviera por dentro. Papá lo notaba y siempre freía para mí un pedazo pequeño que ensartaba en un tenedor, soplaba y me entregaba.

El honor de ayudar a papá con sus platillos me lo cedió mi hermano mayor. Rodrigo nunca le encontró gracia a la cocina y, a decir verdad, nunca disfrutó siquiera del placer de comer. Todos sabíamos que había una larga lista de deliciosos platillos que mi hermano se negaba a probar, aunque mi madre lo agarrara a correazos. Los domingos, en cambio, yo salía de la cocina sudoroso y feliz, me sentaba junto a papá y esperaba a su lado para ver la cara de aprobación de los demás. Entonces sí, los dos engullíamos, en sincronía, la primera cucharada.

Papá era un mulato alto y delgado, de ojos claros, cabello crespo, labios carnosos y una voz que, según todos, era idéntica a la del famoso Zambo Cavero. Sin embargo, en el grupo su función principal no era el canto porque había algo que hacía todavía mejor: era el encargado del cajón, ese cajón de madera que es para los peruanos de la costa el sonido hecho patria. Papá se sentaba encima de su instrumento y, cuando tocaban en casa, me dejaba pararme detrás de él, apoyado en su espalda y con las puntas de los pies en las esquinas del cajón. Mi padre golpeaba la madera hueca con sus largos dedos y las palmas, mientras movía brazos y hombros con ese ritmo negro que lo llevaba a un trance y que lo obligaba a sentir la música con el alma.

Durante esas noches de peña, había un momento en el que papá me miraba con orgullo y, la verdad, yo me sentía orgullosísimo de mí mismo. Sucedía cuando le tocaba el turno a la canción "Contigo Perú". En el instante del coro, los muchachos se callaban porque sabían que había llegado mi "solo". Yo gritaba al aire con la cabeza mirando a lo alto: "Y me llamo Perú, con P de patria, la E de esperanza, la R de rifle, la U de la unión... Yo me llamo Perú, es que mi raza, mi raza peruana, con la sangre y el alma pintó los colores de mi pabellón".

Después, como premio, el grupo me dejaba sentarme junto a ellos, así fuera de madrugada y mamá nos mirara con recelo, a saborear el aguadito que antes yo había ayudado a cocinar.

Cuando están bien doradas las presas de pollo, se retiran de la olla. Se baja el fuego, se agrega un poco más de aceite y se fríen cuatro dientes de ajo triturados, una cebolla cortada finamente y una taza y media de agua en donde se han licuado tres ajíes mirasol y una taza de hojas de culantro.

¿Qué es un ají mirasol? ¿Cómo explicarle a alguien que no sea peruano que nosotros distinguimos desde el pequeño ají "pipí de mono" hasta el picantísimo rocoto, pasando por una gran variedad de otros ajíes que no son lo mismo ni saben igual? Cuando le dicto la receta a un extranjero, le aconsejo resignarse a preparar el aguadito para seis personas con quince gotas de tabasco, aproximadamente. Porque el ají, como el sombrero, se debe acomodar al gusto de cada cual.

Los seis amigos del grupo de papá eran vecinos del barrio. Vivíamos en el entrañable Barranco, un sector limeño que mira al mar, que fue destruido en la guerra con Chile y luego vuelto a levantar; el famoso Barranco del puente de los suspiros de Chabuca. La nuestra era una casona vieja, de gruesas paredes de adobe pintadas de blanco, con ventanas de madera azul cielo.

Mientras cocinábamos el aguadito, papá me lo encargaba por cinco minutos para que yo sintiera el peso de su confianza. Salía al patio a darle un beso en la frente a mi madre. Mientras nosotros invadíamos su cocina, ella descansaba en la mecedora con los ojos cerrados, oliendo sus jazmines y sabiéndose acompañada por sus geranios queridos.

Cuando papá volvía de dar ese beso, los líquidos del culantro licuado se estaban terminando de secar en la olla. Era el momento en que yo medía con precisión una taza de cerveza y cuatro de caldo de pollo que ya nos habían dejado listo. Añadíamos todo a la olla con una taza de arroz crudo, las presas de pollo y un pimiento rojo cortado en cuadrados pequeños. A mí me tocaba agregar la sal por cucharaditas y papá iba probando para que no se nos fuera a pasar la mano. Luego había que cocinar por unos veinte minutos, aunque ya el olor llamaba a tomarse un plato de aquella sopa de vapor oloroso.

Mi padre era empleado de un ministerio en donde se sentía como en casa porque sus compañeros eran sus amigos, y en el Perú los amigos son la familia también. Así, yo tenía unos treinta "tíos" y cien "primos", que así se llaman en nuestra patria a los grandes amigos de la familia. Hasta hoy los sigo queriendo como propios, inclusive más que a mucha familia de sangre que nunca volvió a buscarnos desde que tuvimos que salir del país.

Por uno de esos tíos que alcanzó la presidencia, fue que mi padre llegó a ser ministro. De esa época recuerdo que papá ya no estaba tanto en casa, aunque de vez en cuando se daba tiempo para preparar conmigo un aguadito. Pero, en ese entonces, los comensales eran algunos importantes compañeros de partido y sus choferes.

Cuando han pasado los veinte minutos de cocción y está abierto el arroz del aguadito, se agrega una taza de alverjas ya cocinadas y tiernas, y una taza de culantro picado finamente. Papá decía que no había que licuar todo el culantro. Era bueno colocar las hojas picadas al final porque así desprendía un aroma fresco que te abrazaba el frío, el desgano o las penas, aun antes de probar la sopa. Y el último secreto familiar del aguadito: se debe apagar la olla y dejarla reposar por unos diez minutos antes de servirla, para que los elementos sólidos terminen de espesar el líquido y absorber sabores.

En esa época en que papá fue ministro, servíamos el aguadito en platos nuevos con filos dorados y los invitados lo comían con cucharas brillantísimas. En general, todo en nuestra casa de Barranco se transformó por completo. Las paredes blancas del comedor se cubrieron con papel tapiz norteamericano de círculos y rombos verdes. Nuestros pisos de madera fueron cubiertos con alfombra azul y los empleados de papá trajeron unas sillas coloridas de formas estrambóticas.

Eso sí, el día en que llegaron con unas macetas de plástico, mi mamá se negó tajantemente a que tocaran sus plantas.

Fue en ese tiempo en que mi hermano se distanció todavía más de nosotros y se dejó crecer el pelo. Y el día en que le gritó a mi padre "¡Ladrón del pueblo!", mi hogar perdió para siempre su melodía feliz de cajón peruano. Nunca supe cómo terminó esa pelea porque mamá me alejó de allí. Después de eso, mi hermano se fue de casa.

Nuestro último aguadito de pollo en Barranco no lo preparamos nosotros sino mi madre, con todo el amor que pudo. En el comedor estaban algunos de los amigos del barrio; todos guardaban silencio. Papá miraba hacia abajo y comía su sopa lentamente, a sorbos largos. Cuando se paró, mamá corrió a abrazarlo. Él no tenía ánimo ni para responderle. Yo sentí la necesidad de unirme y me abracé a su cintura. El gobierno había caído y mi padre debía salir del país.

Nosotros nos quedamos en Lima por un tiempo, empacándolo todo. Recuerdo que un día fue a visitarnos una pariente. Repitió lo mismo que mi hermano: papá había robado la plata del pueblo. Yo quería patear a esa mujer y lanzarla de casa. Pensé que mi madre iba a defender furiosa a su esposo, pero, para mi sorpresa, bajó la cabeza. Yo me sentí mareado porque ese hombre que provocaba vergüenza no correspondía a mi padre de música, cajón, aguadito y cocina, paseos por el mar persiguiendo cangrejos y fútbol en el estadio.

Nunca le reproché nada. Con el tiempo pude entender que en el mundo en que creció papá, si llegaba una gran oportunidad había que aprovecharla para obtener la mayor cantidad de dinero; era una obligación implícita, y el amigo que le brindó el cargo de ministro lo sabía, y los amigos del barrio hubieran hecho lo mismo. Mi padre tuvo que pagar un precio muy duro para comprender que hay un camino diferente que nadie le enseñó.

Nos unimos a él en el extranjero. En ese otro país, papá se fue apagando como el volumen de una radio que alguien baja poco a poco para que no duela tanto la ausencia de sonido. No volvió a cocinar. Sonreía con tristeza ante nuestros intentos por encontrar los ingredientes más parecidos a los peruanos para preparar los platillos criollos. Porque nunca nada es igual que en la propia tierra: el culantro no huele a verdadero culantro, al pimiento le falta algo, el pollo sabe a otra cosa.

Pasaron los años y mamá decía que podíamos reinstalarnos en Perú tranquilamente. Papá repetía y repetía su negación con la cabeza. Creo que no soportaba la idea de enfrentar algo parecido a la última mirada de mi hermano.

Tiempo después, mi padre murió. Mamá nunca quiso volver al Perú sin su esposo, y ponía de pretexto a los nietos que no quería dejar descuidados. En cierta ocasión, me vi obligado a asistir a una feria en Lima. Allí, por petición de mi madre, llamé por teléfono a Rodrigo.

La voz de mi hermano tembló al escucharme, estaba embargado por la emoción, y enseguida me invitó a su casa. Conocí a sus hijos y a su esposa, una limeña como la mayoría, extrovertida y de conversación alegre, a quien más que nada en el mundo le gustaba la cocina. Su especialidad: la gastronomía peruana. Para recibirme había preparado un chupe de mariscos. Mi hermano, que lucía un prominente estómago, comía a cucharadas llenas. Y en un momento dado me dijo al oído: "Está delicioso, aunque nada como las sopas que cocinaba papá". Y con su mirada supe que no solo lo había perdonado hacía mucho, sino que esa linda familia era producto del ejemplo del viejo.

Otra de mis tardes en Lima me la pasé recorriendo Barranco. En donde estaba nuestra casa, construyeron un edificio moderno y elegante que por lo menos conserva la pintura azul cielo. Entré a un restaurante a la orilla del mar y saboreé un platillo criollo que me llenó de recuerdos tibios. Con el murmullo de las olas, me llegó también el largo "*aaaah*" que pronunciaba mi padre con la primera cucharada de su reparador y picoso aguadito de pollo.

Chile
CARMÉNÈRE CALIENTE

La uva Carménère escogió a Chile para sobrevivir y los chilenos la eligieron a ella para representar a sus vinos en el mercado mundial. Esta variedad de uva tiene un rancio abolengo francés; sin embargo, los viticultores europeos terminaron por humillarla y tirarla al abandono.

Los hechos sucedieron de esta manera: la uva Carménère fue por siglos una fruta delicada que exigía mimos que la adaptaran a las temperaturas de Europa. A cambio, se destacaba por su dulzura y baja acidez, que complementaban el sabor de otras uvas en la fabricación de vinos elegantes y armónicos. Pero la Carménère, como todas las cepas europeas, desapareció a causa de un insecto que invadió la mayor parte de las viñas del mundo alrededor de 1870 y se chupó con gula la savia de las vides. Tiempo después, Europa descubrió que las cepas norteamericanas eran resistentes a esta plaga. Entonces, sembró sus variedades viníferas injertadas en las de América; todas menos la Carménère, que desechó con las malas hierbas porque ya no estaba dispuesta a dedicarle los trabajos que su delicadeza necesitaba. Así, la condenó a la extinción.

En 1977, la familia Errázuriz, una de las más aristocráticas de Chile, aceptó con decepción y pena que su hija Estela se casara con un militar, primo del general Augusto Pinochet, gobernante del país. La esposa del mandatario, doña Lucía Hiriart, fue quien se encargó de concretar esa unión, gustosa de asociarse al apellido Errázuriz, que hacía una combinación perfecta con sus trajes Chanel, sombreros de plumas y el estuche francés donde guardaba su pintalabios rojo. Angélica Pinochet Errázuriz fue la hija del nuevo matrimonio. Heredó la belleza materna: blanquísima, de cabellos oscuros y pupilas de un violeta ennegrecido de uvas recién lavadas.

La pequeña Angélica y su madre pasaban mucho tiempo en el palacio de gobierno, convertidas en adorno y entretenimiento para doña Lucía y sus hijas. Al parecer, Estela se sentía halagada con tanta atención de la familia del general y se dejó deslumbrar por un mundo de adulaciones y lujos gritones. De cualquier manera, apenas pudo caminar, Angélica se dio cuenta de que ella prefería el lado materno de su familia. Le gustaba la vieja casona con sus baldazos de sol iluminándolo todo, techos altísimos y una elegancia antigua y sobria de pesados muebles de madera tallada, enormes jarrones en donde se exhibían flores campestres y retratos de gente de otros tiempos que se parecía a ella y la miraba con cariño.

A la niña le atraía, además, el extenso viñedo que rodeaba la casona Errázuriz. El follaje de las vides se había apropiado de las tierras y se exhibía frondoso. Entre esas plantas, Angélica se sentía en el mundo que le correspondía. Recorría los largos surcos de la mano de alguno de sus tíos, que no se preocupaba si los zapatitos de charol se le opacaban con polvo y que arrancaba una uva, la limpiaba en la camisa, la partía, le quitaba las semillas y la introducía por pedazos en la boca de la niña. Pero llegaba Estela, los alcanzaba por atrás y levantaba en vilo a su hija. La pequeña mantenía una mueca de disgusto mientras la madre la regresaba a la casona para desempolvarla por completo, llenarla de rulos y cintas, y empacarla dentro de un vestidito tieso. Enseguida, tomaban rumbo a Santiago.

Todos los miércoles, la señora Errázuriz de Pinochet y su hija acudían a las reuniones de voluntarias del CEMA, la fundación de la primera dama para los "rotos" del país. En las oficinas de ese lugar, lo primero que veía Angélica eran las fotografías de las paredes, en donde aparecía doña Lucía con su esposo, sonriendo y cargando a niños pobres de rostros asustados. Angélica creía que le tomarían una fotografía también justo en el momento en que llegaba la primera dama y se acercaba a besarla. Le atemorizaba esa señora de voz chillona y cuerpo grueso que apenas se equilibraba en unos zapatitos de tacón alto; sentía miedo de esa mujer que se cubría con abrigos de peludas bestias y que dejaba a su paso olores de perfumes extraños que lo penetraban todo.

Las damas voluntarias del CEMA se enderezaban y rectificaban el peinado cuando se anunciaba la presencia de su líder con un: "¡Ya llegué, chiquillas!". En aquellas sesiones no se planificaban las obras de caridad, como podría creerse. Allí se daba una estricta revisión moral a la sociedad chilena y a la vida de los ministros, comandantes, coroneles, generales y sus respectivas familias. El punto cumbre de la reunión se marcaba cuando doña Lucía tomaba un teléfono verde de sofisticadas formas y le informaba a su esposo o a sus secretarios que había que destituir a tal funcionario porque tenía una amante o le había planteado la separación a su esposa o que, por el contrario, había que considerar el ascenso de alguien que se había convertido en un invaluable ejemplo ético para el país.

Estas escenas les parecían increíbles a las voluntarias que se unían por primera vez a una reunión; creían que se trataba de una broma la idea de que el imponente general Pinochet pudiera siquiera atender ese tipo de llamadas. En ese momento las voluntarias más antiguas contaban lo que ellas habían oído de boca del mismo Pinochet: Lucía lo había llamado "gallina" para obligarlo a darle el golpe de estado a Allende y, de vez en cuando, lo reprendía duramente en público para que no tomara alcohol o para que siguiera al dedillo las reglas de protocolo. Las voluntarias antiguas, orgullosas, les adelantaban a las nuevas que, en cualquier reunión, doña Lucía se animaría a contar, una vez más, que se casó con un simple teniente y que fue ella quien planeó, paso a paso, la carrera de su marido.

Cuando quedaban resueltos los asuntos más importantes del CEMA, entraban dos o tres empleadas llevando bandejas plateadas con quesos maduros, galletitas con paté, caviar y copas de vino burbujeante cuya calidad subrayaba Lucía:

–Este me lo trajo el embajador Modotti de Italia la semana pasada.

Por más de cien años, el mundo se olvidó hasta del nombre de la repudiada Carménère. Hasta que en 1990, un enólogo que inspeccionaba los viñedos chilenos se introdujo una uva en la boca, pensando que era de la variedad merlot. Al probarla, supo de inmediato que ese sabor de dulce delicado era otra cosa. Con los estudios de ADN se concluyó que muchos cultivos chilenos no eran de merlot, como se creía, sino de la antigua Carménère. Se dedujo que algunas de las plantas despreciadas en Europa se habían escondido entre las cepas de merlot que se llevaron a Chile. En este país, las pequeñas se encontraron en tierra fresca de sol constante y viñas protegidas por cordilleras y desiertos que no permitían el paso de plagas. En poco tiempo sintieron que ese era el mundo al que pertenecían y decidieron no solo crecer sino enriquecer sus sabores y reproducirse en plácido silencio. Cuando las descubrieron, los chilenos se percataron de que eran ellas quienes les estaban dando ese sabor único a sus vinos y decidieron resaltar ese don inesperado marcando las botellas con su bandera de la estrella blanca antes de llevarlas a pasear por el mundo.

Un rumbo exactamente contrario al de las uvas Carménère fue el que tuvo que tomar Angélica Pinochet, que salió de Chile hacia Francia para poder sobrevivir.

Siendo niña, veía muy poco a su padre, supuestamente dedicado a perseguir opositores del régimen de su primo en todo el país. Un buen día, fue encontrado con un disparo en la nuca y tirado como un costal al filo de una carretera. Lo enterraron como heroica víctima de la oposición izquierdista. Angélica recuerda el abriguito negro que alguien le colocó para el funeral, a pesar del calor del verano, posiblemente para que se pareciera a los niños Kennedy en el entierro de su padre. También recuerda a Lucía Hiriart junto a su madre, recibiendo los pésames con un pañuelo bordado en la mano, unas enormes gafas oscuras y un sombrero negro con dos plumas de pavo real.

Después se supo que, al parecer, Rodrigo Pinochet Martínez no fue tan héroe como se pensaba y que, además, no fueron los comunistas quienes lo mataron, sino apostadores a quienes les debía mucho dinero. Eso lo dedujo Estela cuando se enteró de que su marido había perdido el apartamento que tenían en Santiago.

Por varios años, la viuda Estela Pinochet continuó asistiendo sin falta a las reuniones de voluntarias y a las fiestas del palacio de gobierno. Hasta que un miércoles cualquiera, ella y su niña llegaron al CEMA y se encontraron con que todas las damas, inclusive doña Lucía, habían llegado más temprano que de costumbre. Cuando la madre entró en la sala de sesiones mirándose el reloj, le pidieron que no se sentara y dejaron la puerta abierta para que su hija pequeña lo escuchara todo.

La mismísima primera dama del país se encargó de decirle que la despreciaban porque se habían enterado de su relación pecaminosa y de que estaba embarazada; que había empañado el honroso y patriótico apellido Pinochet; que esperaban no verla nunca más y que lo único que le restaba era confinarse en la hacienda de su familia, y que lo que más les dolía era el futuro de Angélica porque, con el ejemplo recibido, con seguridad crecería para ser una cualquiera.

Estela se desmayó. Cuando pudo reaccionar, estaba en el sofá de alguna oficina, al lado de su hija que la miraba asustada. Regresaron a la hacienda, aunque no se quedaron allí por mucho tiempo. Estela le vendió a uno de sus hermanos la tierra que le heredaron sus padres y se fue con la niña a Francia, donde vivían unos primos que se dedicaban a abrir mercado para los nuevos vinos que empezaban a producirse en Chile.

Del París de esa época, Angélica solo recuerda un apartamento gris y pequeño en donde se hospedaba con su madre y el cariño de fin de semana de sus parientes chilenos, que intentaban calentarle la soledad con largos abrazos y buñuelos de su tierra. Se acuerda también de la tristeza y el silencio de Estela y del nacimiento de su hermano. Apenas lo vio, Angélica le tomó tanto amor a ese animalito flaco y con hambre de ternura, que ella misma se hizo cargo de los cuidados y juegos. Tiempo después, Estela se casó con un francés muy serio, amigo de sus parientes chilenos, y todos se fueron a vivir a Burdeos, en donde él tenía un viñedo al pie de un río y un pequeño castillo de piedra.

Con el nuevo padre no solo cambiaron de domicilio. Su hermanito cambió de nombre y pasó a llamarse François Bontron y su madre, por obvias razones, Estela Bontron. Ella no; ella continuó siendo Angélica Pinochet. Era la única que no podía tener un nuevo comienzo. Monsieur Bontron parecía saberlo y nunca se dirigía a ella. La saludaba con un movimiento de cabeza a la distancia. Si quería decirle algo, lo hacía a través de Estela.

Angélica únicamente se sentía a gusto en ese lugar cuando salía a recorrer los viñedos sola o tomada de la mano de su hermanito. Aunque al inicio hasta las vides le parecían extrañas, muy diferentes a las de la hacienda Errázuriz. Tan elegantes y distantes, tan limpias, tan medidas en su comportamiento, tan ordenadas y correctas, como las estudiantes más homenajeadas de un colegio de monjas. Con el tiempo les tomó confianza y hasta se atrevía a arrancarles los zarcillos espiralados para colocárselos en todos los dedos a François. Y paseó tanto por los viñedos, que se dio cuenta de que aunque las vides parecían todas iguales, eran diferentes y tenían distintos nombres, marcados en cartones. Aprendió que con el cambio de estaciones, las hojas de algunas variedades de uva se vuelven de color naranja y con los días se van tornando rojas; en cambio otras se tornan amarillas y sus bordes se pintan de marrón. También presenció cómo nacen los pequeños racimos de bolitas verdes que van creciendo y tomando su color de uva.

De otra cosa se dio cuenta Angélica; su padrastro recorría las líneas perfectas de las vides de una manera muy diferente a la de sus tíos en la hacienda chilena. Monsieur Bontron lo inspeccionaba absolutamente todo; se agachaba a introducir los dedos en la tierra, observaba las flores plantadas junto a las vides en busca de algún insecto, supervisaba que todas las plantas estuvieran perfectamente podadas, probaba las uvas y se quedaba pensando en el sabor que le dejaban en la boca. Angélica empezó a seguirlo con atenta curiosidad. El francés notaba esa presencia tras él y le parecía que cargaba un costal de piedras en la espalda. Pero a la larga, se acostumbró a esa muchachita de ojos grandes que lo observaba y hacía exactamente lo mismo que él hacía.

Hasta que por fin, un día, Monsieur Bontron le dirigió la palabra. Su primera frase fue para pedirle que se introdujera en la boca una uva que él le entregó. Le explicó que se trataba de una cabernet y que pronto alcanzaría la madurez necesaria. ¿Se daba cuenta de que ahora estaba mucho más dulce? Dentro de poco tendría que contratar empleados para la vendimia. Angélica asintió con la cabeza seriamente, como si estuviese participando de una conversación de expertos vinícolas.

Cuando llegó el momento de la cosecha, la muchachita salió con Bontron a la viña. Él mismo le entregó la tijera y le enseñó cómo sostener y cortar cada racimo. Ella siguió las indicaciones, tomó su canasta y trabajó como todos esos chicos risueños que venían para la cosecha. Después, se sentó con los demás a desechar las ramas, hojas y uvas con defectos. Al siguiente día, asistió al prensado junto a su padrastro: se colocaban las uvas en largas cintas corredizas que las llevaban a un aparato mecánico; allí las frutas eran aplastadas suavemente. Bontron le contó que antes, mujeres y hombres con faldas y pantalones arremangados eran los encargados de pisar las uvas dentro de grandes toneles, y se armaban las más animadas fiestas con música y bailes que le daban ritmo al prensado. Angélica se imaginó que su madre y ella no eran chilenas y que habían nacido en un pueblito francés, en donde lo único que habían hecho toda la vida era bailar y pisar uvas.

Después del prensado hay un proceso de fermentación en donde el mosto o jugo reposa con la cáscara de la fruta. Angélica, que siempre pelaba las uvas antes de comerlas y pensaba que la cáscara servía solo para recubrir la fruta, se enteró de que sin ella sería imposible hacer el vino. Las cáscaras u hollejos transmiten al líquido el color y los taninos le ayudan a tomar cuerpo y le dan personalidad a su sabor.

Cuando pasó el tiempo de fermentación, Bontron hizo que la niña probara la bebida obtenida de las diferentes variedades de uva y le enseñó a preparar el *assemblage*, mezclando uno y otro jugo. El hombre miró fijamente a Angélica y le reveló los porcentajes exactos de cabernet franc, malbec y petit verdot con los que hacía su famoso vino de crianza. La niña sintió de inmediato que esa era la fórmula mágica con que Bontron la aceptaba como su hija.

Otra demostración de su cariño fue abrir para Angélica la sala de barricas. El sonido de la puerta de entrada al abrirse emitía un eco respetuoso que anunciaba un lugar sagrado y silencioso. Allí estaban gestándose, en el vientre de barriles de roble, los vinos del Chateaux Bontron. Y eran criaturas muy delicadas; por eso, había que tener cuidado de no hacerles ruido ni movimientos bruscos y tenerlas siempre bajo la temperatura y la luz ideales. Después de estar dos años heredando el sabor de la tierra y los rasgos del roble, pasaban a embotellarse. Y ya en las botellas, todavía les esperaban cinco años más de lenta maduración de sus olores y sabores.

Al igual que los finísimos vinos Chateaux Bontron, Angélica fue creciendo para mejorar con el tiempo, gracias al cuidado y la tranquilidad que le daban aquel viñedo y su nuevo padre. Y si la joven no tenía ni su apellido ni sus ojos azules, ciertamente, por gracia de la dedicación, heredó su nariz sensible a los diferentes aromas que podían tener los vinos: a fresas, vainilla, frambuesas, ciruelas, pimientos o, incluso, a tabaco. Con los años, además, la mirada de Angélica se abrió a las decenas de tonalidades del rojo en los vinos, desde el granate claro de los vinos jóvenes, hasta el color ladrillo de los vinos de buena crianza, como los de su padre. Es fácil imaginar que sus papilas gustativas se afinaron a la par, para percibir el sabor de cada vino, sopesar su cuerpo, calificar su textura y dejarlo pasar por la garganta para averiguar si transitaba sin pena ni gloria o si el sabor se mantenía glorioso por varios minutos.

A través de las ferias y las conversaciones con los amigos, Angélica y su padre se enteraron de la llegada a tropel del joven vino chileno al mercado europeo y mundial. Escucharon muy buenas referencias, pero seguía rondando la duda de cómo era posible hacer un buen vino con Carménère. Bontron despreciaba esa cepa, no sabía exactamente por qué, pero por herencia tenía la seguridad de que se lo merecía. Además, no entendía que sus clientes empezaran a preferir vinos del Nuevo Mundo a la obra europea de siglos de conocimientos y dedicación. Por su parte, Angélica se negaba a aceptar que en su vida tranquila se entrometiera un engendro proveniente de aquel país hostil y caótico que los había expulsado a ella, su madre y su hermano. Bontron y Angélica no permitieron que el vino chileno se asomara siquiera a la cocina de la familia.

Al terminar el colegio, la joven se fue a España para estudiar enología. Aunque lo cierto es que lo único que hizo la universidad por ella fue obligarla a tomar conciencia de su apellido y origen.

El primer día de clases, un profesor leyó la lista de asistencia y cuando dijo su apellido y ella levantó la mano, todos giraron para mirarla con los ceños fruncidos. En el receso, un grupo de estudiantes se acercó a preguntarle si era familiar del tirano, de Augusto Pinochet. Ella respondió que era un pariente muy lejano que solo vio alguna vez en la vida. Su respuesta no les importó mucho; le informaron que ellos deseaban que el dictador y asesino fuera extraditado de Londres a Chile para ser juzgado por sus crímenes. Angélica sintió que su rostro se encendía lentamente como un vino rosado. Ni siquiera sabía su opinión con respecto al general, porque hacía muchos años que no había pensado ni en su vida en Chile ni en la familia Pinochet.

Días después se le acercó otro grupo de jóvenes. Esta vez chilenos que en silencio apoyaban al general, y pensaban que, sin él, Chile sería hoy otra Cuba comunista. Angélica tampoco dijo nada. En cierta ocasión la llevaron con engaños a una tarima en donde unos jóvenes hablaban sobre los derechos humanos violados por el dictador Pinochet. La señalaron como la sobrina y ahijada de aquel tirano, que se quitaba la venda y apoyaba la causa de la justicia. Esa noche, Angélica recogió sus cosas y regresó a Burdeos. Recibió el apoyo de su padre para pedir el traspaso a una universidad francesa. De todas maneras, por si acaso, la joven cambió su nombre a Angélica P. Errázuriz y se hizo novia de un compañero alemán que jamás había oído el apellido Pinochet y que ni siquiera podía pronunciarlo.

Los planes de Madeimoselle P. Errázuriz eran terminar los estudios y dedicarse a la viña Bontron. De todas formas, el padre la convenció de que antes era mejor que trabajara en otros lugares para aprender nuevas técnicas de cultivo y mercadeo. Y así lo hizo Angélica. Los profesores reconocieron su talento para calificar la personalidad de un vino en pocos segundos y la recomendaron en una importadora de vinos. Después de algunos meses, le fue asignado un trabajo que aprovechaba sus conocimientos y su origen: viajar a una feria de vinos Carménère en Chile para escoger los mejores y venderlos en Europa.

Estela se encargó de contarles sobre el viaje a sus parientes chilenos en París; ellos a su vez lo informaron a la familia Errázuriz en Chile y, entre ellos, uno se permitió la libertad de contárselo a una prima de Angélica que vivía en Santiago, Marcela Pinochet. Sería ella quien la recogería en el aeropuerto. Angélica no lo podía creer: una Pinochet recibiéndola en Chile. Según Estela, con esa prima se habían visto durante una o dos Navidades en el palacio de gobierno. Angélica no la recordaba.

Marcela Pinochet recibió a su prima con un abrazo sentido y la obligó a pasar la noche en su casa, a pesar de que Angélica tenía una reservación de hotel. Lo que vio por el camino desde el aeropuerto, la sorprendió. Se acordaba de la cordillera blanca que cruzaba Santiago; aparte de eso, no reconocía esa ciudad inmensa, de edificios modernos, tráfico encandilador y comercio implacable. Su prima era periodista, una mujer sencilla, de lengua alegre y los ojos expresivos de todos los chilenos. Su apartamento se parecía a ella y por todo lado gritaba hospitalidad, inocencia y cariño. Todo lo opuesto a lo que el apellido Pinochet había significado esos años para Angélica.

–Te recibo con empanadas de tu tierra para darte la bienvenida, prima. Mi mamá me dio la receta por teléfono y me pasé toda la mañana haciéndolas. Así que alista los cumplidos. Además, tendrás la fortuna de probar la especialidad de mi casa: el vino caliente.

Angélica disimuló su disgusto con una media sonrisa. No solo era vino chileno sino caliente, que para Angélica era la peor ofensa que podía hacérsele a un vino creado con dedicación para ser degustado a una temperatura justa. Trataría de humedecer los labios solamente.

Marcela se tomó su copa en tres sorbos. Y de una palabra que toma de la mano a otra y luego a otra, empezaron a hablar de las ocasiones en que se vieron y, por ende, de Lucía Hiriart de Pinochet. La primera dama nunca le perdonó a la madre de Marcela, y a su origen provinciano, haber desportillado el apellido Pinochet. En las pocas invitaciones que le hizo el general a la familia de Marcela, Lucía se encargó de transmitirles su desprecio, mirando con asco su vestimenta, sentándolos en el lugar más alejado de ella e, inclusive una vez, haciéndolos comer en la cocina. Si iban a palacio era por insistencia del padre, que se arrastraba como un esbirro ante el general. Hasta que un día a la vieja Hiriart se le ocurrió hacer un comentario irónico sobre el color y los ojos rasgados de Marcela, y por fin su madre le dijo a la primera dama lo que por años había tenido amontonado bajo la lengua. No paró hasta que la boca le supo dulce. Claro, el padre perdió el trabajo que tenía en el gobierno y se dedicó a ser taxista hasta que murió.

Mientras escuchaba a su prima, Angélica empezó a beber el vino Carménère caliente, que no solo le calentó la lengua, sino también los recuerdos y la rabia. Pensó que al fin había alguien con quien compartir el dolor abiertamente; el dolor contra Chile, contra los Pinochet, contra la vida; pero se engañó. Marcela terminó su historia con una sonrisa de compasión indulgente. Ahora hasta sentía pena por la viejita Hiriart, con prisión domiciliaria, acusaciones por malversación de fondos, hijos perseguidos y con su orgullo arrastrándose por el piso como un gato moribundo. ¡Lo que es la vida! Hasta su hija Jacqueline se había encargado de torcer su bandera moral como trapo de cocina, al casarse y separarse una vez tras otra, cambiándoles los apellidos a los hijos de acuerdo con el marido de turno. Lo que es la vida. ¡Lo que es la vida!

Marcela le llenó a Angélica la segunda copa de vino Carménère caliente. A pesar del sabor de las especias y el azúcar, se notaba que era un vino joven de buen cuerpo y acidez armoniosa. Tercera copa. Angélica tomó la palabra y le contó a su prima, con los ojos brillantes de licor y rabia, la humillación del CEMA. Marcela la escuchó sorprendida. Cuando Angélica terminó el relato, Marcela lanzó una carcajada abierta y llena de ecos que rebotaron hasta en el cristal de las copas. Angélica la miró asombrada, sin pestañear, pero pronto terminó por reírse también y tanto, que tuvo que sentarse en el suelo a cogerse el estómago y limpiarse las lágrimas que remojaban las risas. Le pareció que habían estado riéndose por horas. ¡Le gustaría tanto prepararle a su madre un buen tazón de ese vino Carménère caliente!

–Es muy fácil, prima. Te lo anoto: pones al fuego una taza y media de agua; le agregas tres granos de pimienta dulce, tres clavos de olor, anís y tres buenos pedazos de canela. Dejas que el agua tome el sabor de las especias hasta que se reduzca a más de la mitad. Luego agregas una botella de vino Carménère con cinco cucharadas de azúcar, las rodajas de una naranja, con cáscara incluida, y cuatro cucharadas generosas de amaretto. Al primer hervor, apagas la mezcla para que se conserve el alcohol. Y listo.

Al siguiente día, Angélica invitó a Marcela a la viña Errázuriz. Sería muy diferente, luego del Chateaux Bontron, pasear otra vez por las desordenadas vides de su familia. Pero se sorprendió al encontrar que sus tíos se habían asociado a una importante empresa española y ahora tenían un viñedo enorme, tan pulcro y perfecto como los de Burdeos. Sus vides, de todas formas, no habían perdido la sorprendente fertilidad y desfachatez que las hacían parecer mujeres del campo chileno.

Se acercó a las plantas, que sentía como parientes que venía a visitar también, y por fin conoció la famosa cepa Carménère, con su hoja de cinco lóbulos y el dientecillo característico, y el dulzor elegante de la uva del que había escuchado hablar. Le contó a Marcela que, con la extensa variedad de marcas chilenas, la despreciada Carménère había regresado llena de vida a su tierra de origen, desplazando a los soberbios vinos europeos. Y, claro, Marcela respondió: "¡Lo que es la vida!".

En la feria, a Angélica el vino Carménère le pareció de un hermoso tono granate intenso con matices violáceos. Introdujo todo lo que pudo su nariz en las copas y olió frutos rojos maduros con toques de pimienta negra y algo de tierra húmeda. Se tomó un buen sorbo y dejó reflexionar a su boca: sabores a ciruela negra seca, casis y vainilla; cuerpo medio y acidez moderada. Ideal para acompañar carnes blancas y ensaladas. Muy justos los premios internacionales obtenidos. Lo anotó todo para su informe final. ¿Pero en qué parte agregaba que los vinos Carménère olían y sabían a Chile y a su historia? Decidió traducirlo con una frase de correcta enología: "El Carménère producido en estas tierras le confiere a los vinos chilenos un sabor que los distingue de cualquiera en el mundo".

Marcela Pinochet y los tíos Errázuriz despidieron a Angélica en el aeropuerto. Ella subió al avión con dos cosas: una sonrisa amplia de quien pretende volver pronto y una caja en donde llevaba una buena colección de los mejores Carménère para su padre, hermano y novio, y para el vino caliente que tanto deseaba prepararle a su madre.

Argentina
TORTA DI MELE

El tamaño y la cara de monstruo tonto de Georgina me asustaron al inicio, cuando entré con mamá a la panadería las primeras veces.

–Gustavo, saludá, hijo, y pedile las medias lunas a Georgina.

Me escondía tras las piernas de mi madre y no levantaba el rostro. Corría el año 1983 y yo tendría unos seis años. Por entonces, los chicos del barrio le teníamos miedo a la gigante. Los niños más grandes nos espantaban, contándonos que en noches de luna llena, Georgina se convertía en un oso feroz de garras y colmillos afilados, que cogía a los pibes con una sola mano y se los comía de tres bocados. Imaginate cómo nos sentíamos cuando nuestras viejas nos obligaban a ir con ellas a comprar el pan.

Pero la nona, dueña de la panadería, encontró un remedio para quitarme el susto, migaja a migaja.

–Levantá esa cara linda que tenés o no vas a poder ver las galletas que Georgina y yo hicimos para vos. Mirá, querido, tienen forma de tiburón.

Tiburón, Supermán, jirafa con cuello ortopédico, tortuga en helicóptero... Aunque en verdad eran unas galletas grandes y tiesas como pedazos de lodo seco, me hacían sonreír.

Vivíamos en Boca, en la misma calle donde estaba la panadería. Muy cerca quedaba el puerto y la famosa cuadra de conventillos o casas angostas de madera, pintadas con más color que el que se había usado en todo el resto de Buenos Aires. La nona decía que eran los colores de Venecia, y debía ser verdad porque era común escuchar, en cualquier momento, gritos en italiano provenientes de nuestros vecinos los "tanos", como les decíamos cariñosamente a los inmigrantes de Italia o a sus hijos nacidos acá.

Hasta que tuve cinco años, mi padre vivió con nosotros en ese barrio. De papá recuerdo su traje militar; el pelo oscuro y espeso, engrasado y peinado hacia atrás, y la sonrisa de dientes amplios. Estaban también sus asados del domingo, el cuidado que ponía al afeitarse y la colonia que se untaba en las mejillas con dos palmadas. Me acuerdo que todos decían que yo era idéntico a él y que yo me sentía orgulloso de eso. Pero papá enfermó. Pasó varios meses en un hospital y solo me dejaron verlo una vez antes de que falleciera. Del funeral tengo memoria de la bandera argentina sobre el ataúd, los sonidos de las trompetas que tocaron y las decenas de militares que fueron a despedirlo.

Desde que murió, la mía fue la única madre del barrio que salía temprano al laburo y regresaba hasta la tarde. Su familia y la de mi padre vivían en Mendoza y los veíamos solamente en vacaciones. Y aunque yo era solo un pibe, aprendí a quedarme solo. Llegaba de la escuela, comía algo de lo que mamá había dejado preparado y salía a la calle a jugar fútbol con mis amigos.

Es fácil jugar fútbol en Boca. Levantás la mirada, te encontrás con el estadio querido del Boca Juniors y soñás facilito que estás con los ídolos y que los hinchas están saboreando el baile de tus pies. Yo era al primero que elegían los chicos grandes para los equipos, y era quien jugaba con más pasión.

Por desgracia, el juego duraba hasta que a mis amigos los llamaban sus madres para tomar la merienda. Cuando se iban, yo me quedaba solo en medio de la calle; metía la mano en el bolsillo y tocaba las monedas que me daba mi madre para comprar el pan.

La panadería de la nona era tibia, muy tibia. Apenas entrabas, sentías el olor de las masas que estaban en el horno. Después de unos minutos allí, el olor desaparecía. Creo que la razón era que, en ese lugar, uno se volvía también un pastel feliz que se iba tornando suave y dulce.

De a poco, el miedo que le tenía a Georgina se convirtió en amistad. Además, la nona saciaba mi necesidad de amor de abuela. Por eso, mis idas a comprar el pan se fueron transformando en visitas cortas y, luego, en estadías de horas.

Todas las tardes, se me hizo costumbre llegar con algo que había conseguido en la escuela para Georgina; por ejemplo, un muñequito de plástico que compraba a la salida. No te podés imaginar la manera en que ella se emocionaba. Me agarraba por la cabeza, me llevaba hacia su estómago acogedor, justo debajo de sus pechos enormes de pan campesino, y me abrazaba con fuerza. Y después, cuando revisaba su obsequio, la gigante reía a carcajadas, dejando escapar mucha saliva que le caía en espesas gotas por el mentón. Nonina la escuchaba y de inmediato se acercaba para limpiarle el rostro con una servilleta que se sacaba del bolsillo del mandil.

–Mirá vos este par de vagos que tengo aquí. Las tortas *di mele* los están esperando, chicos –anunciaba la nona.

La torta di mele –es decir, de manzana– era tan deliciosa, que se preparaban cuatro diarias para la venta. Uno de los encantos de ese postre consistía en que era tan sencillo de elaborar, que Georgina y yo nos encargábamos casi por completo de hacerlo. Para una torta mezclábamos una taza de yogur natural con tres huevos y 250 gramos de azúcar. El gran brazo de mi amiga era el encargado de batir y batir con una cuchara de madera. Mientras tanto, cada cierto tiempo yo introducía uno de mis dedos para probar la masa y saber si los granos de azúcar se habían diluido.

Después me tocaba añadir lentamente 250 gramos de harina cernida, una cucharadita de polvo de hornear, una cucharadita de canela y una cucharada del zumo de un limón con su ralladura. Enseguida Georgina volvía a mezclar, esta vez con más fuerza.

Con la masa lista, se agregaban rebanadas delgadas de una manzana de las verdes y ácidas, y de una pera; además, una taza de nueces picadas. Se colocaba todo en un molde engrasado y enharinado. El toque final era una espiral formada de láminas de manzana, que iba en la superficie de la masa. Para hacerla, Georgina se esmeraba en acomodar los pedazos de fruta perfectamente alineados. Causaba gracia verla. Parecía una extraña diosa diseñando por primera vez un geranio con todo el cuidado posible.

Sobre la espiral de manzana yo regaba tres cucharadas de azúcar, ponía por aquí y por allá trocitos de manteca o mantequilla y espolvoreaba con los dedos una cucharada de canela en polvo. El molde se llevaba al horno a 180 grados centígrados por una hora aproximadamente, o hasta que la nona introdujera un cuchillo y este saliera limpio.

Ya bien entrada la tarde, cuando habíamos terminado con labores y juegos, la nona nos servía un trozo de la torta o un pan caliente con leche. Después yo iba a casa.

Eso sí, había un día en que el local se mantenía cerrado: los jueves. Temprano en la mañana, la nona y Georgina se cubrían las cabezas con pañuelos blancos y salían de casa cargando unos carteles con las fotografías de una familia joven.

La nona me explicó que el señor de la imagen era su hijo. Había desaparecido junto con su esposa y su niño porque pensaban diferente en un tiempo en el que había que pensar igual a quienes gobernaban. Por esa razón, ella salía por las calles, junto con otras mujeres que también tenían parientes desaparecidos, a pedirle al gobierno o a alguien que las ayudaran a encontrarlos. Según nonina, su nieto perdido tenía la misma edad que yo. Sería por eso que a veces me miraba y se le caían las lágrimas. Y sería por eso que me quería tanto.

Una tarde, cuando esperábamos a que la torta di mele saliera del horno, sonaron las campanas pegadas a la puerta de entrada: había llegado un cliente. Nonina era la única encargada de las ventas; pero ese día, por primera vez, nos pidió que saliéramos a atender. Tímidos, aunque envalentonados por la aventura, Georgina y yo nos tomamos de las manos para darnos ánimo.

Los clientes eran dos de los pibes del barrio, los más grandes, los que nos contaban historias de terror sobre Georgina. Al verme ahí, se mostraron sorprendidos. Yo sonreí orgulloso con mi gorro y mi mandil de panadero. Ellos, sin embargo, torcieron la boca en clara señal de asco y sonrieron burlones.

–¡¿No digás que sos amigo de la tarada, che?!

En ese instante sentí que alguien había subido, a la más alta temperatura, un horno que yo traía incorporado en la cabeza. Solté la mano sudorosa de Georgina y la miré desde los ojos de esos dos pibes: ella era un monstruo idiota, grande y baboso, de mirada perdida. Los atorrantes de mis amigos compraron el pan y se fueron. Me quedé pensando en que los demás niños del barrio creerían que yo era también un retrasado y no querrían jugar conmigo.

Decidí no regresar más a la panadería, pero no le conté nada a mi madre. Los días siguientes les pedí a unos amigos que compraran las medias lunas que debía llevar a casa.

Mamá, gracias a esas habilidades misteriosas que tienen las madres, se enteró de lo que había pasado. Y sin decirme nada, llegó a la casa con un pedazo de torta di mele. Mientras me lo comía y ella acariciaba mis mejillas, me hizo contarle lo que sucedía. A punta de preguntas, me ayudó a resolver las dudas en mi cabeza. ¿Era Georgina un monstruo en verdad? ¿Me divertía con ella? ¿Alguno de mis amigos me había dado tanto amor como el que me daban la nona y su hija? ¿Qué es más importante: lo que uno sabe y siente o lo que piensan los demás?

Al día siguiente, cuando una vez más me quedé solo con la pelota en medio de la calle, caminé con lentitud hacia la panadería. Empujé con timidez la puerta de entrada. ¡Qué sonrisa la de Georgina al verme! Se alegró tanto que lanzó carcajadas y se bañó de saliva por completo. Yo saqué de mi bolsillo una gallinita que ponía huevos y que me había costado todos mis ahorros, y se la entregué a mi amiga. La cogió sin mirarla. Lo primero que hizo fue abrazarme como siempre.

Seguí yendo a la panadería de la nona durante mucho tiempo. Las dos mujeres se hicieron parte de mi familia. Los fines de semana iba también mamá a conversar durante horas con la nona. Varias veces vi que mi madre lloraba en sus brazos. En ocasiones era la anciana quien lloraba.

Pasó el tiempo y desde que cumplí diez años, la nona se propuso seriamente convertirme en un *ragazzo* de provecho que pudiera ayudar a su madre. Entonces, cuando llegaba del colegio, me enseñaba a hacer pan, galletas y todo tipo de tortas y pasteles. Me exigía que fuera muy prolijo en cada detalle porque ese es el éxito de un buen panadero. A veces me molestaba tanta exigencia y dejaba de ir al local por un tiempo. Siempre regresaba. Sabía que hasta los alfajores se derretían de cariño apenas yo entraba y, además, mi madre me animaba para que volviera.

Con los años aprendí tan bien el oficio, que nonina me contrató como empleado. Yo seguí con mis estudios, primero en el colegio y luego en la universidad, y en las tardes o noches laburaba con la nona. Georgina estaba siempre a nuestro lado.

Me encontraba en segundo año de Ingeniería, cuando me di cuenta de que lo mío era la panadería. Soñaba con inaugurar mi propio local y poner en marcha muchas ideas nuevas. Solamente estaba buscando el momento y las palabras justas para decírselo a mi madre.

Por ese tiempo, se desató un escándalo en los medios de comunicación: miles de recién nacidos o niños pequeños de las mujeres desaparecidas por la dictadura en la época de 1976 a 1983 habían sido adoptados ilegalmente por los mismos militares torturadores, o regalados a parejas sin hijos.

El gobierno de turno creó una institución para que las personas que buscaban a estos pequeños, como la nona, dejaran muestras de su sangre. También lo harían los jóvenes que dudaban de su origen. De esta manera, a través de exámenes de ADN, se podrían encontrar a los miembros desaparecidos de una familia.

Nonina estaba feliz porque se abría una esperanza cierta de hallar a su nieto. Mi mamá y yo la acompañamos para que le tomaran la muestra de sangre. Recuerdo que mi madre me hizo tomar a mí también una muestra porque, según me dijo, en su trabajo le darían un seguro médico para los dos y le solicitaban ese examen.

Pocas semanas más tarde, como de costumbre, llegué de mis clases en la universidad directamente a la panadería. Pero la encontré cerrada. Se me hizo extraño y toqué con fuerza al portón. Los vecinos salieron y me miraron con lástima y tristeza. Mi nonina había amanecido muerta.

La misa de cuerpo presente la dijo un sacerdote que hablaba un español entremezclado con italiano. Mamá y yo estuvimos en primera fila junto a Georgina y recibimos los pésames como si fuéramos su familia.

Cuando terminó la misa, me animé a unirme a la fila que habían formado los vecinos para ver a la nona y llevé de la mano a Georgina. Nos causó sorpresa verla dentro de ese ataúd. Esa señora tan seria y elegante no era la nuestra; nuestra nona tenía siempre las mejillas manchadas con un poco de harina; a esa de allí le faltaba mucho: le faltaba el delantal azul con florcitas blancas, el olor a torta en el horno, la suavidad del pan tibio, la sonrisa perpetua, el brillo en los ojos, su acento de italiana. Esa, definitivamente, no era la nuestra. La nuestra se quedaba con nosotros en el alma.

No apareció ningún familiar de la nona ni durante el entierro ni en el tiempo que siguió a su muerte. Mi madre y yo buscamos algún teléfono o dirección en todos los cajones de su casa y finalmente nos dimos por vencidos. Georgina se quedó a vivir con nosotros.

Yo me animé a contarle a mamá que deseaba abandonar los estudios y reabrir la panadería de la nona. Creo que ella ya lo sospechaba y renunció al trabajo para ayudarme con la administración del negocio y con Georgina. Aunque yo sabía a la perfección las recetas de la nona, no tenía su rapidez y tuvimos que contratar a un asistente.

Una mañana llamaron por teléfono desde una oficina de la Comisión Nacional de Derecho a la Identidad, Conadi. Me buscaban para informarme que había aparecido mi verdadera familia. Pensé que se trataba de un error y que a quien habían encontrado era al nieto de la nona. Fui a las oficinas del Conadi y sí, habían hallado al nieto de nonina; pero también había aparecido "mi" verdadera familia.

Una funcionaria me mostró una carpeta donde estaba mi historia y la fotografía de una pareja de jóvenes que cargaban a un bebé muy blanco, de cabello oscuro y ojos caídos; un bebé igual al de las fotos que tenía mamá en los álbumes de cuando era chico. Era yo. Mi verdadero nombre era Agustín Placci. Mis padres habían sido detenidos el 22 de abril de 1976; yo estaba con ellos cuando sucedió. Mi verdadera familia me había estado buscando por años. No pude decir ni una palabra. Sencillamente me paré y me fui de allí agarrándome de las paredes.

Dando vueltas en un parque, uní sucesos en mi mente y me acordé de que mi padre fue un militar en la época de la dictadura.

No pude regresar y enfrentar a mi madre. Estaba furioso. Me sentía engañado y perdido. Por un par de semanas me quedé en la casa de un amigo.

Regresé al Conadi para que me dieran el teléfono del nieto de nonina. Ella se merecía que le contara sobre su lucha por encontrarlo durante todos esos años. Pero finalmente, él había decidido que no quería conocer a nadie relacionado con el pasado. Amaba a sus padres adoptivos y no deseaba meterlos en problemas. Así de sencillo.

En el Conadi me hablaron de otros casos de personas que habían sido adoptadas ilegalmente en la dictadura. A unos les había ido muy mal. Una mujer fue criada por un militar que abusó sexualmente de ella desde que era niña. A otro le habían dicho la verdad desde pequeño y se sentaba horas y horas, en la puerta de su casa, a esperar que un día sus padres desaparecidos aparecieran. Otros habían vivido, como yo, rodeados de amor.

¿Qué hacer? Pronto sentí la necesidad de armar mi identidad de nuevo, pieza por pieza. Entonces conocí a mis tíos y abuelos.

Al verme por primera vez, lloraron; corrieron a abrazarme y llenaron mi rostro de besos. Me hubiera gustado haber sentido amor inmediato por ellos; pero para mí eran gente extraña y me incomodaban. Esa era la verdad.

La abuela me hizo sentar en su sala y me trajo fotografías de mis padres verdaderos. En la primera estaba mi madre, que me sostenía en brazos. Era una muchacha linda, de ojos grandes, que me miraba con orgullo y amor. No pude despegar los ojos de esa imagen. Al verla, sentí pena y rabia. ¡Las torturas que habrá pasado esa pobre chica! El dolor que habrá sentido cuando me separaron de su lado. La vida entera que nos perdimos juntos. ¡No había derecho! Por Dios que no había derecho.

Cuando mi abuela me vio llorando, se sentó a mi lado. Nos miramos. Yo me reconocí en ella: los mismos ojos de forma caída, el color de piel y su manera de sonreír. Levanté la cara, observé a los otros familiares que nos rodeaban y me reconocí en ellos también. Nos abrazamos y, desde ese momento, empecé a quererlos.

Para darme la bienvenida ese primer día, la abuela me había preparado una torta. A mi abuela también le gustaban las artes del horno y era, además, hija de italianos. Por supuesto que enseguida le conté que yo había crecido junto a una nona muy parecida a ella, que me había heredado una panadería y una hermana gigante que se llamaba Georgina.

En cuanto a mi madre, la adoptiva, mi familia me comunicó su decisión de enjuiciarla. Ni siquiera lo pensé y tuve una reacción inmediata: les advertí que si lo hacían, me perdían para siempre.

Sin darme cuenta había perdonado del todo a mamá. Y a mi padre militar también. No sé si fue él mismo quien asesinó a mis verdaderos padres y no quiero pensar en eso. Lo único que yo sé de cierto es que siempre fui su hijo y me trató como tal. Y mi madre me quiso tanto, que cuando mi papá murió, en lugar de deshacerse de mí para volverse a casar, me dedicó su vida entera y jamás fue capaz siquiera de ir a una reunión de amigos porque prefería pasar todo el tiempo que podía conmigo.

Cuando volví a la panadería, mamá me abrazó llorando y me pidió perdón. Me dijo que nunca supo exactamente lo que le habían hecho a mis verdaderos padres; lo que sabía era que apenas me vio abandonado, envuelto en una mantita, sintió que ella había nacido para cuidarme y me amó. Yo no la dejé seguir hablando y le devolví el abrazo.

Georgina falleció poco tiempo después. Los médicos nos dijeron que las personas con su enfermedad mueren pronto porque tienen el corazón enorme.

La panadería La Nona sigue funcionando, aunque ahora está mucho más grande que en el pasado. Preparamos doce tortas di mele diarias.

Paraguay
VORÍ VORÍ

Era 1870 en Asunción. Cinco años atrás, cuando Francisca era una niña, presenció la altivez con que su padre y sus tíos habían tomado el anuncio de la Guerra de la Triple Alianza: Brasil, Uruguay y Argentina contra Paraguay. Aquel conflicto, que según los tres países aliados debía acabar en cuatro meses, duró cinco años; los últimos tres, dedicados al exterminio del Paraguay. De acuerdo con los cálculos que se harían después, más del sesenta por ciento de la población paraguaya murió y en el país quedaron solamente mujeres, ancianos y niños pequeños. Buena parte del territorio del Paraguay pasó a manos extranjeras.

A inicios de 1869, las tropas aliadas llegaron a Asunción. En tres días quemaron la ciudad, repletaron los barcos con todos los objetos de valor que encontraron y ultrajaron salvajemente a las mujeres, huérfanas de sus hombres. Si no tocaron a Francisca fue únicamente porque su delgadez y sus llagas espantaron a los soldados. De todas maneras, destrozaron los muebles de su casona y se llevaron lo mejor.

Durante los meses que siguieron a la invasión, Francisca logró garantizar su propia supervivencia y la del hermano que había quedado a su cuidado, vendiendo las joyas que su madre le había dejado escondidas bajo una piedra del patio. Aunque terminadas las alhajas, ¿con qué compraría alimentos? La tía Elvira le había dicho que sin nada de valor no podría entregarle más comida. Ni siquiera le había sugerido qué hacer para conseguir víveres.

Francisca tenía que reaccionar de alguna manera, pero no podía. Su mente era aún una maquinaria sin movimiento, como un reloj parado. Sentada en la cocina, observando los estantes vacíos, le llegó desde el patio el ruido de risas infantiles. De inmediato salió al corredor.

Arturo jugaba con un niño de su misma edad, que hablaba en un guaraní de arbusto de bosque, fresquísimo y alegre. Era la primera vez que Francisca veía a ese pequeño y la primera, en muchísimo tiempo, que escuchaba aquel idioma de nuevo.

–*Mainumby, jeruti, gua'a, taguato.*[1]

Los niños hacían pájaros de barro. Ellos mismos eran unos animalitos embarrados de lodo. Ambos eran delgados, con piernas y brazos largos y flexibles como miembros de ranas. Uno tenía el cabello castaño y crespo y la piel clara. El otro era moreno, de ojos rasgados y el cabello lacio y muy negro. Y sin embargo, al verlos, se diría que habían salido de un mismo nido.

Francisca se sentó sobre el piso de piedra del corredor, caliente por el calor de la tarde. Apoyó la espalda en una columna y fijó los ojos en los pájaros de barro que iban creando los chicos.

Alguien abrió la puerta principal de la casa, que ya no tenía seguro. Francisca escuchó los ruidos y ni siquiera desvió la vista. Había aprendido que no se podía hacer nada para evitar lo que fuera a suceder.

Una persona de pasos fuertes caminaba alrededor de la sala. Después de un momento, llegó al patio. La muchacha le dio un vistazo rápido. Era algún tipo de militar extranjero. Por su uniforme, parecía no ser un simple soldado; debía de tener un rango superior.

El hombre vio a la joven sentada en el piso. Le pareció que tendría unos catorce o quince años, tenía rasgos elegantes, pero estaba delgada y sucia y, con seguridad, padecía una de las pestes que llegaron de

---

1 Picaflor, paloma, loro, águila.

los campos de batalla, porque tenía llagas en los labios y en las manos.

–Vengo a revisar la casa. Me han hablado de ella y voy a comprarla.

Lo dijo secamente, como un empleado de un banco que informa sobre el resultado de una sumatoria. Francisca no lo miró. ¿Comprarla? Si le interesaba la casa, pensó la joven, podría sencillamente botarlos de allí como a perros callejeros que se habían guarecido en un lugar ajeno.

–Me dijeron que la dueña de todo esto era una muchacha. Debes ser vos, ¿verdad?

Francisca asintió con un movimiento lento de cabeza.

–Oho ñane ynambumi.[2]

El extranjero se alertó cuando escuchó la frase en guaraní. Buscó con la mirada y descubrió a los niños jugando entre la tierra. Caminó con decisión hacia los pequeños, que no desviaban la atención de su labor y su charla. Asió por el brazo al indígena y lo hizo pararse.

–¿No sabés que está prohibido usar ese idioma bárbaro? Ahora en Paraguay se habla solamente castellano.

Arturo comenzó a llorar en voz alta. El niño indígena, en cambio, miró al hombre como si viera a un animal salvaje que a pesar de su fiereza no le causara temor sino una enorme curiosidad.

---

2 Se fue nuestra pequeña perdiz.

El militar se quedó desconcertado y no pudo seguir con su reclamo. Terminó pensando que aquel ser tan raro no podía siquiera entenderlo. Lo soltó. Se dio la vuelta y caminó hacia la joven.

–Oíme bien, muchacha: si permitís que en tu casa se hable ese idioma del demonio, irás presa. Volveré pronto para que firmés los papeles de la venta. Y pediré a las autoridades que los vigilen de cerca. ¿Entendés?

El extraño salió por donde vino. Arturo continuó llorando, ahora en voz más baja, mientras hacía pucheros con los labios que chorreaban saliva. Su compañero seguía reparando los pájaros heridos al compás de una canción.

Ne mandu'ávapa nde, kóina ako ka'aru,
che guatahágui aru Tupã rymba porãite
ñuhãme ijeity pyre, guyra ñu porã'imi,
ako ñane ynambumi, jahayhuetémi va'ekue.[3]

El llanto de Arturo fue haciéndose cada vez más bajo, hasta que se disolvió en el canto guaraní del otro. La muchacha cerró los ojos y se arrulló en la canción del niño.

Mokõivépako jaiko, ñañombope hese,
ñahetũ, ñamoñe'ẽ, ha mitãicha jareko,

---

3 ¿Recuerdas tú, aquella tarde remota, / que de mi caminata traje ese animal de Dios/ que cayó en una trampa, ave tan bella?/ Era nuestra perdicilla, que amábamos tanto.

ha'e anga pe hekove hasy vaichánte ichupe,
ha oiméne nikora'e, hi'agũi upe imano.[4]

Cuando se cansó, el pequeño visitante simplemente se paró sin decir nada y salió por el hueco de uno de los muros que rodeaban el patio.

Francisca lo siguió con la mirada. De pronto se incorporó como por instinto y fue por el mismo camino que había seguido el niño. Arturo, a su vez, persiguió a su hermana.

El indígena caminaba con paso alegre; a ratos saltaba. Cruzó toda la zona de las villas, tiznadas aún por los incendios de la invasión; villas como la de Francisca y Arturo, que exhibían sus rejas y puertas desencajadas y las malas hierbas que se habían apoderado de los jardines y piletas. Después, el niño entró al área de las casas humildes rodeadas de pequeños cultivos.

La muchacha lo seguía con un paso constante y decidido. Arturo iba un poco atrás. Llegaron a un terreno sembrado de maíz. Había tres indígenas cosechando: una mujer de unos treinta años y una pareja de ancianos. El niño se acercó a la que parecía ser su madre. Ella le acarició el cabello con cariño, le dijo algunas palabras en guaraní y siguió su trabajo. Francisca y Arturo se acercaron. Los adultos

---

4 ¿Verdad que ambos anduvimos, dándonos a ella?/ Le besábamos, le hablábamos, y como niño le teníamos,/ a la pobrecita no le importaba su dolor del cuerpo,/ y ya en ese entonces, su muerte estaba cerca.

los observaron molestos. No les gustaba encontrarse con gente extraña en el mundo que tanto cuidaban. En ese instante, su pequeño les dijo algo señalando a Arturo. Entonces ellos tranquilizaron su mirada y volvieron a su labor.

Cuando se dio cuenta de que en cierta forma la habían aceptado, Francisca observó el lugar en donde estaba. Puso atención al trabajo de los indígenas y comprendió de qué se trataba. Se fijó en qué clase de mazorcas arrancaba la mujer más joven, por dónde las cogía exactamente, cómo las cortaba y qué hacía después con ellas. Luego se puso a cosechar también.

La mujer indígena la vio de reojo y se dio cuenta de que la muchacha hacía un trabajo algo lento, pero preciso. Arturo se había unido al otro niño y lo ayudaba a colocar en sacos las mazorcas que los adultos lanzaban al suelo.

Continuaron en el maizal por varias horas hasta que el sol empujó a los niños hacia la sombra. La mujer frenó el trabajo y se dirigió a una choza de cañas y techo de paja en un lado del terreno. Los ancianos y los niños la siguieron. Francisca se limpió el sudor de la frente con la mano, pasó la lengua por los labios resecos y fue tras los demás.

Dentro de la choza, la madre encendió los leños para calentar las ollas. El resto tomó lugar en unos bancos alargados alrededor de una mesa grande. Aquel era un lugar muy sencillo. A un lado estaban la cocina y la mesa. Al otro, esteras y mantas en donde seguramente dormían todos.

Las ollas, que se reanimaron con el fuego, desprendieron en poco tiempo un olor que hizo que los estómagos de Francisca y Arturo empezaran a gruñir con ansiedad. La madre sirvió los platos.

Apenas se metió a la boca las primeras cucharadas, a Francisca le cayeron dos cauces de lágrimas por las mejillas. La nostalgia le había tapado la garganta y la comida no pasaba. No recordó sucesos específicos, únicamente sentimientos lejanos, platos como aquella sopa junto a su familia.

La mujer y los viejos comían a un ritmo constante y veían de lado a esa muchachita flaca que lloraba. Ellos tenían penas que sabían muy similares y no necesitaban preguntar.

Arturo, que desde hacía mucho tiempo no se sentaba a la mesa a comer un plato así, se dedicó a observar con cuidado la forma en que su amigo comía la sopa. Tomó la cuchara de la misma manera y empezó a comer también. El otro niño se dio cuenta de que lo estaban imitando; sonrió con picardía e hizo movimientos más lentos y marcados para que Arturo los hiciera exactamente igual. Exageró los sorbos con que tomaba la sopa y los gestos de placer cuando tragaba cada cucharada. Arturo, juguetón, lo imitaba todo.

Viéndolos, los ancianos abrieron las bocas sin dientes para reír, mientras la sopa se caía por las comisuras de sus labios.

Por fin, la muchacha tomó el alimento en pequeños sorbos. Después, a cucharadas llenas. Sintió calor en esa tinaja hueca que tenía adentro.

Terminada la comida, la joven dio las gracias sin alzar la cabeza. Se paró y salió de la casa. Arturo fue tras ella. La madre se apuró en llenar una canasta con maíz, alcanzó a la muchacha y se la entregó.

Ya en la cocina de su casa, Francisca volcó la canasta con maíz en la mesa. Se sentó a desgranar lentamente las mazorcas. Los granos tiernos se desprendían con docilidad. Arturo se acercó y comenzó a desgranar también. La muchacha sintió otra vez una bola de pasado en el pecho. Sabía que en algún momento había visto en esa cocina, a otras personas desgranando maíz y le llegaron memorias de risas, charlas despreocupadas y ollas bullendo. Todo tan diferente al silencio de ese lugar polvoriento y abandonado.

Varios gusanitos blancos y delgados salieron del montón de hojas de maíz. Se movían encogiéndose y estirándose. Arturo rio divertido al descubrirlos e intentó que subieran a su mano. Los ojos de Francisca sonrieron.

Cuatro años atrás, el padre de los dos se había marchado a la guerra. A su mamá le había cambiado la mirada cuando él se fue y reía con esfuerzo por el puro cariño que les tenía a sus hijos. Hace dos años, se habían llevado también a Efraín y Federico, sus hermanos. En su desesperación, al ver que las tropas iban disminuyendo rápidamente, el presidente paraguayo Solano López había decretado que la mayoría de edad se alcanzaba a los doce años y se adquiría el honor de morir por una patria casi derrotada. Los dos hermanos de Francisca, solo algo mayores que ella, fueron reclutados, al igual que todos los jovencitos de la ciudad. No quedaron hombres en Asunción. Las empleadas se habían ido tras sus soldados, y en la casa quedaron solamente Arturo, su madre y ella.

Una mañana vinieron también por la madre, que ni siquiera tuvo tiempo de sacarse el delantal de cocina. Viéndose derrotado, Solano López había enloquecido. Vio traición en las miradas que lo cuestionaban, en los ojos que no miraban, en sonrisas que él imaginaba haber descubierto. El padre de Francisca, como otros muchos militares de la alta sociedad paraguaya, fue fusilado por supuesta deslealtad. Las mujeres de los traidores debían pagar también. Y se las llevaron. Descalzas. Debían marchar tras los soldados. No se volvió a saber de ellas.

Recién ida su madre, algunas familiares y vecinas llegaban cada cierto tiempo a ver cómo estaba Francisca, consolarla y entregarle alimentos preparados. Pero cada vez iban con menos frecuencia y después del saqueo, dejaron de volver. Como la tía Elvira vivía cerca, la muchacha fue a pedirle ayuda. Su casa no había sido saqueada porque su marido colaboraba con los vencedores y era parte del nuevo gobierno. Sin embargo, su puerta estuvo abierta para Francisca solo mientras la joven pudo llevarle objetos de valor.

Cuando la muchacha y el niño terminaron de desgranar las mazorcas en la cocina, se fueron a dormir. Al siguiente día, temprano, Francisca guardó en un saco los granos y salió de casa. El niño caminó a su lado.

Llegaron a la vivienda de los indígenas, donde habían estado el día anterior. Arturo vio a Yaguati, su amigo, junto a los abuelos, desyerbando un pedazo de tierra, y se unió a ellos.

Francisca entró a la casa. La puerta arrastró su chirrido para anunciarla. Los leños de la cocina estaban prendidos y la madre ponía agua en una olla. La joven dio los buenos días en voz baja y volcó con cuidado el maíz desgranado sobre la mesa.

La indígena entendió. Ella también había perdido parte de su familia y solo había salido adelante por su hijo. No sentía fuerzas para darle vida a esa muchacha perdida; pero sabía que no podría echarla tampoco. Apenas pudiera, tendría que conseguir hierbas para curarle las llagas. Menos mal que recién iba a empezar a cocinar la sopa para el almuerzo y menos mal que se trataba de un vorí vorí, que era tan fácil de preparar y les gustaba a todos. Sería un buen comienzo. Le señaló los ingredientes a la joven.

–*Hu'itî, kesu, sevói, kûra-tû, pere, juky.*[5]

---

5 Harina de maíz, queso, cebolla, culantro, perejil, sal.

La mujer cortó un tomate en cuadrados medianos y le pasó otros dos a Francisca para que hiciera lo mismo. La muchacha tomó las verduras con delicadeza, como si pudiera hacerlas estallar si las tocara con un poco más de fuerza, y las cortó. La indígena sonreía mientras observaba el extremo cuidado que ponía la joven.

Después picaron tres ramas de cebolla de verdeo en pedazos pequeños. La mujer puso sobre el fuego una olla con manteca y agregó las verduras picadas. Le entregó una cuchara de madera a Francisca, que comprendió que debía revolver. Los tomates se deshicieron y las cebollas empezaron a dorar. Después agregaron ocho tazas de agua y tres cucharaditas de sal. De las ollas salieron dos brazos tibios que enlazaron a las cocineras.

Era el turno de hacer los vorí vorí: las bolitas de harina de maíz que caracterizan esta receta. Se desmenuza un pedazo de queso fresco Paraguay y se une a la harina de maíz. Se va agregando un poco de caldo hasta lograr una masa que se pueda trabajar y no se pegue en la manos. Entonces, se hacen las bolas del tamaño de una uva grande.

Al principio, Francisca tomó los pedazos de masa entre los dedos con demasiada seriedad, y las bolas, tercas, no acaban de ser redondas. Luego se dio cuenta de que la indígena formaba despreocupadamente las bolas y estas obedecían de inmediato. Se le vinieron a la mente los pájaros de barro, que también aparecían sin problemas en las manos de los niños. Colocó un trozo de masa entre sus palmas abiertas y se permitió moverse sin pensar en lo que hacía. Las bolas surgieron sin demora y quedaron perfectas.

–Yeruti –se señaló a sí misma la mujer, indicando su nombre.

–Francisca –se señaló a su vez la joven.

–Francisca –repitió la mujer.

–Yeruti –dijo la muchacha.

Yeruti agregó una cucharada de harina de maíz al caldo y revolvió. Luego añadió el culantro y el perejil picados. Después fueron poniendo uno a uno los vorí vorí en la sopa. Las bolas se hundieron hasta el fondo de la olla. Yeruti le pidió a Francisca que no desviara la mirada de la preparación. En poco tiempo, los vorí vorí fueron emergiendo uno a uno, como cabezas de niños que se hubieran lanzado al agua y salieran pronto a respirar. La muchacha abrió los ojos con admiración. Yeruti permitió que la sopa hirviera por cinco minutos más. Luego le pasó una cuchara a la muchacha para que la probara. Después de ver su cara de satisfacción, la indígena retiró la olla del fuego.

Las mujeres continuaron con los preparativos para el resto del almuerzo. Francisca cortaba, aplastaba y revolvía, imitando a Yeruti. La mujer indígena se decidió a pensar en voz alta y empezó un largo discurso en idioma guaraní. Le contaba a Francisca los planes que tenía para ese día. Había que preparar la tierra para el nuevo sembrado y cosechar las verduras que estuvieran listas. Francisca la escuchaba sin ponerle atención al sentido de las palabras. Esos sonidos en guaraní le llegaron como mariposas del pasado.

En la casa de Francisca, antes de la guerra, se hablaba ese idioma indígena. Lo hablaba su madre con las empleadas de la casa, con los vendedores en el mercado, con la abuela. A la misma Francisca le dirigía muchas frases cariñosas en el idioma de aves de los indios paraguayos.

Y entre los hombres, cuando comenzó la guerra, el guaraní se convirtió en un arma estratégica. No solamente porque a los enemigos les era imposible entender los mensajes bélicos que lograban incautar, sino porque Solano López daba sus discursos de motivación a las tropas en idioma guaraní. Así, las palabras se hacían banderas y todos se sentían más unidos por un idioma que los hacía únicos.

En guaraní, Francisca y Yeruti se fueron conociendo. Se contaron sobre sus dolores y miedos, sobre el mundo de donde venía cada una y sobre las pequeñas cosas que lograban hacerlas sonreír a pesar de todo, como, por ejemplo, los ojos brillantes de Yaguati al despertar o las cintas para el cabello en el cajón de la madre de la muchacha.

En guaraní también, cada día de los meses que siguieron, la joven recibió las indicaciones para conocer la tierra, meter las manos en ella y saber cuándo estaba lista para recibir las semillas; escuchó los secretos para alejar las plagas y el antojo de los pájaros, y en la cocina, aprendió de memoria todas las recetas preparadas con maíz y mandioca.

Por las tardes, Francisca y Arturo volvían resignados a su propia casa. Sobre la mesa del comedor, la muchacha veía siempre un contrato de compra venta que seguramente había dejado el militar extranjero para que ella firmara. Y había regresado otras veces para dejarle notas, en la sala y en la cocina, en las que le ordenaba que fuera al centro de la ciudad para encontrarse con él y concretar la venta. La joven no estaba a gusto en esa casa que tenía que abrirse ante los extraños.

Francisca prefería estar con Yeruti. Junto a ella, la muchacha volvió a caminar segura por las calles de Asunción. Al principio se encontró con una ciudad cenicienta y agazapada. Pronto descubrió que la vida estaba en el mercado.

El mercado Guazú era desde la madrugada un hormigueo de mujeres. Mujeres indígenas, blancas, jóvenes, viejas. Todas destapaban allí las mantas con que se escondían de los extranjeros, y descubrían el rostro. Sus ojeras eran la marca de las penas que no olvidarían, pero sus cuerpos expedían una voluntad y una energía tan grandes que bastaban para mantener de pie al país entero.

Francisca se encontró en el mercado con antiguas amigas de su madre, muchachas que de niñas jugaban con ella, damas que alguna vez vio pasar en los carruajes más elegantes; cada cual se había apropiado de un pedazo de piso para negociar vegetales, panes o vestidos que ellas mismas habían cosido, máquinas que habían reparado, muebles que fabricaban con sus propias manos, inclusive dinero que pudieron guardar y ahora prestaban a las otras a cambio de una tasa de interés. Muchas caminaban por ahí cargando sobre las cabezas tinajas con agua o bandejas con frutas.

Yeruti y Francisca negociaban el maíz y las verduras que cosechaban. Además, vendían algunas recetas que ellas mismas preparaban y que las demás comían gustosas.

–Francisca, *mba'éichapa ndepyhareve?*

–*Chepyhareve porã, ha nde?*

–*Chepyhareve porã avei.*[6]

Las mujeres de Asunción, las asuncenas, se hablaban solamente en guaraní. Sabían que los invasores querían abolirlo y precisamente por eso lo hablaban. El guaraní les recordaba en todo momento que a su país, como a ese idioma, había que mantenerlo vivo a punta de coraje.

Los militares extranjeros, al principio, se habían dispuesto a reprender a todo aquel que hablara guaraní. Pero escuchaban ese idioma en todas partes, en los murmullos que no podían cazar en los rincones, en los rezos de las iglesias, en las palabras de cariño de las mujeres paraguayas con quienes se unieron y, sin admitirlo expresamente, se dieron por vencidos.

---

6 –Francisca, ¿cómo amaneciste?
–Amanecí bien, ¿y tú?
–Amanecí bien también.

Francisca se hizo amiga de las demás mujeres del mercado. Un día, mientras se tomaban un mate, les contó que pronto tendría que salir de la villa de su familia porque un militar iba a comprarla. Las mujeres se miraron con complicidad.

Le explicaron que los vencedores no podían atropellarlas tan abiertamente. Eran tres invasores diferentes y se vigilaban los pasos unos a otros. Por lo demás, habían justificado ante el mundo la guerra bárbara contra el Paraguay con la promesa de que civilizarían a ese país ignorante. Por eso debían mantener una careta de decencia. Francisca podía negarse a vender y no firmar nada. Claro que podrían intimidarla, pero no estaba sola.

Ese día, al terminar la tarde y regresar a su propia casa, la muchacha miró el lugar con otros ojos y lo sintió suyo ahora que sabía que no podían quitárselo. Día tras día, se dedicó a ordenarlo todo. Puso en su lugar los muebles y separó los que debían ser reparados. Una mañana descolgó las cortinas rasgadas por las armas, sacudió, barrió y colocó en su lugar los adornos que no estaban totalmente destrozados. Cuando Arturo la veía, se unía a ella y jugaba a limpiar, mientras le contaba sus últimas travesuras con Yaguati y los otros niños.

Francisca continuó yendo a casa de Yeruti, aunque con menos frecuencia, porque le dedicó más tiempo a su propio hogar. Y un día, en la cocina de la mujer indígena, estando a punto de empezar con la elaboración de un vorí vorí, Francisca le pidió a su amiga, con la mirada, que la dejara seguir a ella sola. Necesitaba saber que podía hacerlo y que, además, era capaz de ir más allá y recrear los sabores de su madre y su mundo.

Despresó una gallina y la adobó. Doró las presas en grasa y las añadió al caldo. Agregó también pedazos medianos de *andai* -la calabaza de su huerta-, y un poco de leche. Además del culantro y del perejil, añadió una hoja de laurel y ajo picado. Por último, cuando la gallina estuvo lista, agregó las bolas de maíz.

Yeruti probó el vorí vorí de Francisca, que estaba todavía en la olla. Apenas le pasó el líquido por la garganta, levantó la vista y miró con respeto a la joven. Era la receta de una mujer decidida que ya no necesitaba agarrarse a las faldas de otra.

Ese día en su casa, Francisca abrió los estantes de su propia cocina y fue llenándolos poco a poco con productos del mercado. Despertó a las ollas con cariño y empezó a elaborar sus propias recetas. Se había convertido en una mujer bella. Vestía, como Yeruti y las asuncenas, con vaporosas faldas largas y blusas de colores claros que descubrían sus hombros. Con el pelo limpio y cuidado, por fin pudo usar las cintas del cajón de su madre.

Una mañana, las amigas del mercado llegaron a la villa de Francisca. Venían cargadas con las herramientas que sabían que iban a necesitar y con regalos: vasijas de barro, frutas, harinas y verduras. Recorrieron la casa. Evaluaron el patio, las habitaciones, el tamaño de la cocina, el estado de las rejas y las paredes; lo observaron todo de manera meticulosa, hasta que se apartaron de Francisca y cuchichearon entre ellas.

Cuando al fin hablaron con la joven, le dijeron que les parecía que su casa se mantenía en buen estado, que era enorme y estaba muy bien ubicada. De ninguna manera le convenía venderla en ese momento. Y, es más, estaban pensando que allí podrían establecer una tienda para ofrecer los productos que negociaban en el mercado. Hacían falta lugares para abastecer a la gente en toda esa zona. También se podría vender mate y las deliciosas recetas de Francisca y Yeruti.

Por un momento, la joven abrió los ojos incrédula, pero al ver el entusiasmo de las demás, sonrió ampliamente.

Durante las siguientes semanas, las mujeres llegaron todos los días a la casa y arreglaron los muebles. Les tomó varias semanas tumbar paredes, fabricar un anuncio para la entrada, revivir el hermoso antejardín y hasta hacer funcionar las dos piletas. Por último, empezaron a traer costales y cajas con sus productos y los acomodaron en la casa: las harinas y granos en un lado; la ropa de niños, de mujeres y hombres en un lugar luminoso; las verduras frescas en la entrada y mesas y sillas cerca de la cocina. Habían logrado reunir los más variados productos indígenas y mestizos. La gente de todos los alrededores, que había vuelto a repoblar sus casas, estaba complacida.

Y un día, finalmente, sucedió lo que Francisca esperaba: volvió el militar extranjero que pretendía comprar la casa. Llegaba junto a la tía Elvira, quien lucía un vestido muy elegante y joyas brillantes. Los acompañaban dos hombres que, por sus trajes y actitud, parecían ser autoridades importantes.

El militar tuvo que aclarar la vista para darse cuenta de que esa joven que los recibía era la misma muchachita sucia que él había visto sentada en el piso del patio la primera vez que llegó a ese lugar. A la tía Elvira tampoco le fue fácil reconocer a Francisca. Y todos recorrieron los salones con la vista y se miraron unos a otros con expresión confusa. Esa no era una construcción en ruinas a cargo de una muchacha traumatizada por la guerra. Había gente entrando y saliendo con canastas y sacos. Por la sala revoloteaban los colores de las frutas y verduras, de los objetos de barro y madera pintados con flores y pájaros, de las diferentes tonalidades del maíz y los demás granos.

A pesar de lo que veían, la tía Elvira se animó a darle a Francisca el discurso que ya había practicado y por el que había convenido un precio con el militar. Venían para que ella, su querida sobrina, firmara el contrato de venta por la villa. Le darían el pago más justo. Era lo mejor que le podía pasar. Ella no podría mantener una casa tan grande; además, con el dinero de la venta conseguiría algo más pequeño y en mejor estado. Sola como estaba en la vida, quienes ahora parecían apoyarla podían estafarla y hasta terminar quedándose con la casa. Siempre era mejor seguir los consejos de la familia.

Francisca no dijo nada y mantuvo la expresión tranquila. Se dirigió a las mesas y con la mano invitó a los cuatro visitantes a tomar asiento. ¡Olía tan bien! Y era casi medio día. Francisca les trajo platos humeantes de su sabroso vorí vorí de gallina. Elvira y el militar se miraron desconcertados; aunque ante esos platos tan provocativos, todos terminaron por comer. Los hombres ni siquiera levantaban la cabeza y se dedicaban solamente a dar cuenta de sus sopas con avidez. A la segunda cucharada, Elvira reconoció los sabores de su hermana y su madre, y enrojeció, avergonzada por algo.

Cuando vio que los platos del vorí vorí estaban vacíos, Francisca llevó trozos de pastel de andai aún tibio; un *kiveve*, más exactamente.

–La sopa de maíz fue una verdadera delicia –dijo por fin uno de los visitantes.

–Se llama vorí vorí –dijo Francisca.

–¿Vorí vorí? –preguntó el militar–. Un nombre guaraní, me imagino. En español, diríamos sencillamente que es una sopa de maíz con gallina.

–No es sencillamente una sopa de maíz –aclaró la joven–. En Paraguay tenemos varios tipos de sopas de maíz. Esta es un vorí vorí, que en nuestro idioma significa bolitas de harina de maíz.

Desde el patio trasero llegaron las risas y gritos en guaraní de un grupo de niños. En ese momento, se acercaron Yeruti y tres mujeres más, que se pararon al lado de Francisca. Muy sonrientes, dijeron a los hombres que si les había gustado el vorí vorí podían regresar cuando quisieran, porque Francisca preparaba para la venta los más deliciosos *mbaipy*, *mbeyú*, chipá, pastel *mandi'ó* y *kyrype*. Y además de comer, podrían encontrar allí todos los productos que pudieran necesitar.

Los hombres se pararon de las sillas. Uno de ellos se pasó la lengua por los labios y se tocó el estómago, mostrando satisfacción por el almuerzo. Elvira se despidió con voz muy baja; parecía ensimismada. Las mujeres despidieron a los visitantes con alegre amabilidad. Ellos les dieron unas caballerosas buenas tardes y se fueron por el mismo lugar por donde habían entrado. Todos regresaron muchas veces más a comer y comprar, y recomendaron el lugar a otros.

En pocos meses, las asuncenas abrieron en toda la ciudad muchas tiendas como la de Francisca y otra variedad de negocios diferentes. En todos ellos se saludaba siempre en guaraní y se colocaba la bandera del Paraguay en el lugar más visible.

Ecuador
GUATITA

El 10 de marzo de 1996, cuando el candidato Bucaram llegó al restaurante seguido de su séquito de periodistas y partidarios, don Viche estaba en la cocina. Era un poco más de medio día, así que las comidas bullían casi listas en las grandes ollas.

Las cocineras picaban culantro y perejil para darles los toques finales a las preparaciones y pelaban piñas maduras, mangos y naranjillas para los jugos. Se trataba de tres mujeres alegres, gordas y fuertes, con vestidos coloridos y mandiles blancos. Las pieles morenas de sus rostros y amplios brazos brillaban por el sudor acumulado a lo largo del día; un sudor meloso y adherido a sus cuerpos como un plástico.

Cuando entró Carebandido, uno de los meseros, don Viche estaba concentrado en probar la *guatita* de la olla. Todos los días supervisaba la elaboración de este plato, con el que había dado a conocer su restaurante en toda la ciudad de Guayaquil, y se ocupaba de rectificarle la sazón.

El muchacho tuvo que tocarle el hombro para que él lo escuchara.

–Padrino, ¡el Loco está acá afuera! –hablaba con la rapidez que le provocaba la emoción–. Ha venido a comer guatita.

–¿El loco? ¿El loco que vende inciensos?

–¡Hable ssserio! No, pues, don Viche; el que ha venido es el Loquito Bucaram.

Las mujeres se pasaron la voz y se pusieron atentas.

–¿Bucaram? ¿Estás seguro?

–Possitivo, padrino. Llegó con un montón de gente y tienen grabadoras y cámaras de fotos. Ni bien entró, me ordenó de *uan*, cuarenta guatas para todos. Y *pegsis*. Yo le dije que también teníamos cervezas, pero el Loquito respondió que no podían tomar vielas porque estaban camellando. ¡Ese *man* es súper, qué bacán, don Viche! La plena.

–Sírveles las bebidas que enseguida salen los platos.

Las cocineras armaron un gallinero de risas y comentarios. Viche se puso nervioso y tuvo que cerrar los ojos por un segundo para recordar en qué andaba. Entonces añadió con la mano un poco más de sal a la olla de guatita.

Cinco minutos después, las mujeres y su jefe tenían servidas las cuarenta raciones del plato insigne de la casa con su acompañamiento de arroz, aguacate y ensalada. Don Viche, personalmente, sirvió una porción especial para Bucaram, con mucha más carne que papa y con casi un aguacate entero. Una de las cocineras armó rápidamente una rosa con cáscaras de tomate para decorar el arroz, cosa que no se había hecho antes con ningún cliente; y a otra le pareció necesario adornar la flor con gotitas de mostaza. Carebandido se enderezó y adecuó la expresión para servir ese plato tan elegante. Los otros dos meseros sabían que ese honor le correspondía a él por ser el más antiguo y casi familiar del jefe.

Don Viche se dirigió al baño de los empleados para lavarse la cara y mojarse el cabello espeso y gris. Después se peinó con mucho cuidado frente al espejo, se puso la guayabera blanca que tenía reservada en la bodega para ocasiones inesperadas y verificó que sus zapatos estuvieran pulidos. Mientras tanto, las mujeres se asomaban por la puerta entreabierta de la cocina para ver qué pasaba en el salón. Hasta que entró Carebandido en busca del jefe.

–Mueva, padrino, mueva que el Loquito está preguntando por usted y quiere saludarlo.

Viche salió de la cocina con el orgullo nervioso de un niño que va a recibir la bandera en la escuela.

Al ver la actitud del hombre que venía de la cocina, uno de los periodistas que rodeaban al candidato en su mesa, supo que se trataba del dueño de Las guatitas de don Viche y les avisó a los demás. Todos lo miraron y le abrieron paso. Abdalá se paró de su silla.

–¿Tú eres el famoso Vicente, alias don Viche? Hazme el honor de sentarte junto a mí, compañero. Déjame decirte que aunque tú no lo sepas, yo he comido aquí desde que inauguraste este negocio. Cuando era profesor de educación física en la Naval, mi señora pasaba todos los viernes por acá y llevaba tarrinas para mí y los amigos. ¡Las mejores guatas de mi patria!

El candidato a presidente se volvió a sentar, ahora con Viche a su lado. Entre frase y frase, Bucaram seguía comiendo. El dueño del restaurante lo miraba sin escucharlo realmente.

Le pareció un hombre más alto y fornido de lo que hubiese pensado. Nunca había conocido a un descendiente de turcos con piel tan clara. Estando tan cerca, las cicatrices de viruela en su rostro eran lo que más llamaba la atención. Se vestía igual que él, con guayabera y pantalón oscuro. Para comer, usaba solamente una cuchara, como hacen los cholos de Guayaquil. Y al hablar, la verdad era que casi gritaba, lanzaba gotas de saliva y pedacitos de comida. Viche lo había escuchado muchas veces en la radio y la televisión, así que le era familiar su voz grave que de pronto se convertía en grititos agudos, con los que enfatizaba el final de algunas frases. Tomaba su Pepsi a pico de botella y a grandes sorbos. Transpiraba muchísimo. Parecía que los ventiladores del local no le servían de nada. A menudo sacaba un pañuelo para secarse la cara y limpiarse los restos de la guatita del bigote.

–¡Los aniñados no han probado nunca estas delicias de mi pueblo! Como nacieron en cuna de oro, únicamente comen salmón con caviar y champán, y se limpian la boca con servilleta de tela. Al niño Nebot, la guatita le apesta porque está acostumbrado a oler perfume Chanel, Christian Dior y Oscar de la Renta.

Su gente y los periodistas, que se habían sentado a comer en las mesas vecinas, reían con las ocurrencias del Loco. Lo habían escuchado muchas veces y no se cansaban de oírlo.

El restaurante estaba atiborrado con la gente de los alrededores que se había enterado de la presencia del político. Los que alcanzaron a sentarse comían guatita también. Los guardaespaldas mantenían a los otros a dos metros de la mesa de Bucaram. Y montones de personas esperaban al candidato en las afueras del restaurante e inclusive en plena avenida, interrumpiendo el tránsito de los numerosos autos y buses que circulaban diariamente por allí.

Cuando acabó el discurso y la comida, el político se levantó de la mesa y explicó que debían continuar con el recorrido. Antes de irse le dio a Viche un abrazo con palmadas sonoras en la espalda y dijo que ese cholo era un ejemplo de superación en medio de la esclavitud con que pretendían aplastarlos esos oligarcas del país. Un fotógrafo de la cuadra aprovechó el momento para tomar la imagen de los dos, que dentro de poco colgaría en la pared central del restaurante.

La mayoría de personas salió rápidamente tras el candidato. Un hombre se acercó al dueño del restaurante, sacó una chequera y le pidió que le diera la cuenta de lo que había pedido el abogado Bucaram para él y sus invitados. Antes de que Viche empezara con el cálculo, el hombre le sugirió que donara el consumo a la campaña del Partido Roldosista de Abdalá. Debía considerar que el Loquito le había hecho tremenda publicidad frente a los medios de comunicación; que su local aparecería esa noche en todos los noticieros y que si se volvía colaborador, Bucaram regresaría con frecuencia. Además, estaría contribuyendo con el futuro presidente de los ecuatorianos. Viche no pudo negarse y el hombre se alegró de haber conseguido un auspiciante.

Pasaron varias horas y todavía los empleados del restaurante seguían comentando la visita del querido Loco. Al mismo don Viche no se le pasaba la emoción. Hasta que se acordó de su esposa. "¡Chuzo, qué gil!". No se le había ocurrido llamarla y seguro que no se lo perdonaría. Si le hubiese avisado, su mujer habría venido en seguida a conocer al Loco. Y es que Maricela lloraba solamente con ver las propagandas de Abdalá en la televisión, cantadas por él mismo y repletas de imágenes de niños huesudos y mendigos. Ahora tendría que contarle con detalles sobre la visita al restaurante y además tendría que jurarle que Bucaram volvería pronto y entonces se sentaría junto a ella, codo a codo.

Cuando llegó a casa, Maricela no se paró del sofá al verlo. Ni siquiera volteó la mirada del televisor. Viche dedujo que estaba molesta porque alguna de las mujeres de la cocina ya le había contado sobre la visita de Abdalá a su negocio. Así que agachó los ojos de animalito culpable y fue a calentarse él mismo la comida.

A Maricela se le pasó el disgusto apenas vio a su esposo en las noticias de la televisión. Apareció solamente unos segundos porque la cámara se enfocaba en el candidato comiendo guatita con cuchara. De todas maneras, Maricela se arrodilló sobre el sofá, abrió mucho los ojos y se tapó la boca emocionada. Y fue ella quien contestó el teléfono, que esa noche no paró de sonar; eran los amigos y familiares que querían felicitarlos y pedir más datos sobre el encuentro.

Al siguiente día, cuando don Viche llegó al restaurante, Carebandido había pegado en las paredes del salón junto a los banderines del Barcelona, el equipo de fútbol más importante de la ciudad, los peces de plástico y la imagen de la Virgen del Cisne, varios afiches amarillos y rojos de la campaña de Bucaram.

–Es para cuando vuelva el Loquito, patrón.

Viche no dijo nada. Ningún cliente protestaría. Abdalá Bucaram era el candidato de los guayaquileños de los barrios populares. Usaba su mismo lenguaje y su ropa, creció en sus calles y era hincha de su equipo de fútbol. Debía de ser por eso que todos le mostraban un cariño como el que se le tiene a un muchacho que se ha visto crecer en la casa vecina. Repletaban las plazas y estadios en sus mítines y festejaban sus travesuras, los insultos a los contrincantes de las clases altas del país y sus bailes e interpretaciones de las famosas canciones de Los Iracundos.

¿Cuándo volvería al restaurante? El día que lo hiciera, Viche se juraba que dejaría su maldita timidez, abriría la boca, conversaría con él y le contaría que su familia lo venía apoyando desde hacía mucho.

En los siguientes meses el candidato Bucaram no volvió. Regresaría tiempo después, ya como presidente.

Durante la campaña electoral, fueron los candidatos a diputados y alcaldes de la lista de Abdalá los que comieron con frecuencia en Las guatitas de don Viche, gracias al auspicio.

El jefe de la campaña roldosista, al ver la foto de Bucaram abrazando al dueño, no dudó en pedirle a Viche que les prestara el local, después de que se fueran los clientes, para reunir a la población de los alrededores y proponerle que se afiliara al partido. Don Viche lo dudó. Una cosa era regalar algunos almuerzos de vez en cuando, pero gente extraña en su salón podría dañar los muebles y armar líos. El político le prometió que no pasaría nada, y que era solamente por una vez, hasta que consiguieran un local en la zona. Viche aceptó para no indisponer a un jefe roldosista, aunque esperaba que el día acabara pronto y concluyera el asunto.

La reunión se llevó a cabo. Faltaron sillas y espacio. Mucha gente de los barrios aledaños asistió porque le habían adelantado propuestas interesantes y porque creyeron que si la reunión era en el local de don Viche, había de antemano una garantía de seriedad.

Dos políticos, ubicados al frente de todos, ofrecieron que quienes se afiliaran a la campaña serían, durante la presidencia de Bucaram, los primeros beneficiarios de los proyectos de viviendas, mochilas escolares llenas de útiles para los niños, bolsas semanales de víveres y juguetes gratuitos para Navidad. Y si además de afiliarse participaban activamente en la campaña, podían anotarse para obtener cargos públicos en el gobierno.

Viche escuchaba las ofertas, parado en una esquina. Miraba a los asistentes, que eran sus clientes y vecinos, responder a las propuestas con un brillo de ilusión en los ojos. Y por primera vez se preocupó. ¿Y si no les cumplían? Tal vez Bucaram quisiera hacerlo, ¿pero si no había dinero?

Don Viche se fijó en los hombres que estaban detrás de los políticos y al cuidado de las puertas de entrada. Se trataba de guardaespaldas musculosos, parados con las piernas abiertas, que miraban al frente con el ceño fruncido, vestían camisas coloridas, pantalones que brillaban por tanto uso, relojes grandes en las muñecas y cargaban radios en la mano y armas en las cinturas. Sus entrañas rechazaron a esos hombres y a los políticos que hablaban, quienes, a su juicio, no tenían la sinceridad del Loquito que había comido guatita a su lado.

Carebandido se enroló en las filas roldosistas el mismo día de aquella reunión en el restaurante. El joven creyó todo lo que escuchó y se lanzó a sus sueños con los brazos abiertos.

Don Viche trató de advertirle a su ahijado que se cuidara. El mundo de la política es sucio. En el pasado, Bucaram mismo había tenido que salir perseguido del país y, si era cierto lo que contaba, en Panamá lo alcanzaron los colmillos de sus enemigos que trataron de implicarlo en narcotráfico.

El muchacho lo miró con una sonrisa burlona del que siente que lo sabe todo. Viche se sintió impotente.

En ese entonces, Jerónimo, conocido por todos como Carebandido, tenía veinte años. Era hijo de Roberto, el amigo de infancia de don Viche en el Guasmo. De muchachos jugaban fútbol en el mismo equipo, iban a la misma escuela, se pusieron de acuerdo para abandonar el colegio, se enamoraron casi al mismo tiempo. Viche no tuvo hijos. Roberto tuvo siete. Jerónimo era el cuarto.

Cuando apenas le empezaba a salir la barba, Jerónimo se negó a seguir estudiando. Roberto temió que pudiera dársele por ingresar a una de las pandillas del

Guasmo, en donde los muchachos pobres se abrían a balazos un espacio en la ciudad. Por eso decidió llevarlo a trabajar al local de Viche en la Caraguay.

Vicente lo aceptó en el restaurante porque era su ahijado y porque le recordaba a sí mismo y a su amigo a esa edad. Jerónimo empezó ayudando a lavar platos. Como era un muchacho avispado de ojos alegres y una expresión de picardía, los empleados le pusieron el apodo de Carebandido.

De lavar platos por muchos meses, Carebandido pasó a ser mesero. Por entonces su única preocupación era vacilar con chicas y comprarse zapatillas, camisetas, gafas y pantalones, de fabricación china o colombiana, que exhibieran con descaro marcas truchas de Nike, Adidas o Lagerfeld. Era, como muchos chicos de la ciudad, un fanfarrón, al que le gustaba lucir brillante y a la moda. Se emborrachaba los fines de semana en las esquinas con sus amigos, fumaba marihuana cuando le ofrecían y escuchaba salsa y merengue en su *walkman*.

No obstante, cuando embarazó a una niña de catorce, Jerónimo alquiló un cuarto para vivir con ella y necesitó un televisor, refrigerador, cocina. Fue cuando le picaron las ansias por tener un negocio propio para obtener más dinero del que recibía en el restaurante. Roberto y Viche lo ayudaron para que vendiera por las calles refrescos y empanadas de verde con camarón, que las cocineras preparaban en el restaurante. A eso se dedicó durante un par de meses.

Por desgracia, en las calles de esa ciudad porteña, que se estiraba día a día empujada por el comercio furioso, sobraban muchachos que se trepaban a los buses a vender toda clase de cosas, se paraban en las esquinas para ofrecer sus productos a los autos o iban de casa en casa en busca de clientes. Jerónimo se dio por vencido muy fácilmente.

Una mañana se apareció en el local de don Viche acompañado por su mujercita y su criatura.

–Padrino, es que lo que quiero es tener mi propio restaurante, así como usted. No importa que sea en un local enano.

Viche no pudo más que sonreír. ¡Cómo si fuera tan fácil! Y le contó rápidamente su propia historia. Con Maricela empezaron vendiendo guatita en una olla a los oficinistas que salían de sus trabajos en las calles del centro. Al inicio tenían muy pocos clientes; fueron aumentando poco a poco. Luego ahorraron para una carretilla que les permitiera llevar varias ollas. Después consiguieron un local pequeñísimo, donde pasaron varios años, y apenas hacía poco tiempo habían comenzado con el restaurante actual.

Mientras su padrino hablaba, los ojos de Jerónimo se mostraban impacientes.

–Bueno –les dijo Viche–. Si hablamos con Roberto, seguro que podemos conseguirles una carretilla de doble uso para que carguen las ollas y vendan comida. Para empezar, lo primero: deben saber preparar una receta bien hecha. ¿Qué les gustaría vender?

–Guatita, pues, padrino –respondió tranquilamente el muchacho.

Viche sonrió por dentro. Bueno, por lo menos el sinvergüenza tenía el valor de pedir que le enseñaran a preparar el plato estrella de su restaurante.

–Está bien. Puedes prepararla tú, mijita. Y Jerónimo saldrá a venderla en alguna esquina.

Las cocineras se encargaron de sostener al bebé, y don Viche se dispuso a enseñarles la receta.

–El principal ingrediente de la guatita es el mondongo o panza de res. Debe ser fresco y tienen que comprarlo de madrugada en el Camal. La limpieza del mondongo es muy importante. Para empezar, deben ponerlo crudo en agua con sal y jugo de limón, y dejarlo ahí por unos quince minutos. Después lo lavan debajo del chorro, vuelven a ponerlo en agua con limón por otros quince minutos y lo lavan nuevamente. Luego lo cocinan en la olla a presión.

Viche se dio cuenta de que a los muchachos se les había perdido la mirada, como si no entendieran ni una palabra de lo que les estaba diciendo; como si lo que estuvieran esperando únicamente era que les entregaran las llaves de un restaurante funcionando y con la caja registradora ya llena.

–Mijita, ¿sabes cocinar? ¿Sabes preparar arroz, por lo menos? –preguntó Vicente.

–Más o menos, no más –respondió Carebandido por ella.

Viche respiró profundamente. Sabía que así no llegarían a ninguna parte. Entonces les terminó de explicar muy rápidamente la receta de la guatita. Si pedían más detalles y de verdad querían aprender, sería otro asunto.

Cuando el padrino terminó de hablar, el joven agradeció secamente y no dijo nada más. Regresó semanas después a pedir que le devolvieran su antiguo empleo de mesero porque no quería seguir vendiendo por las calles.

A favor de Jerónimo hay que decir que luego de pocos meses se volvió todavía más experto en su oficio en el restaurante. Saludaba a los clientes por sus nombres y había memorizado sus platos preferidos. Y con solo mirar a la gente que venía por primera vez, el muchacho sabía por instinto qué recomendarles y cómo ganarse su fidelidad con el restaurante. Sus propinas aumentaron y se le notaba satisfecho.

Jerónimo volvió a dejar su trabajo en Las guatitas de don Viche cuando se unió a la campaña roldosista, decidido a labrarse un futuro en las filas del candidato que tanto quería y que con seguridad ganaría la presidencia. Sentía que esa era su oportunidad y su ambiente. Según se enteró Viche por los otros meseros y por su amigo Roberto, el joven se había esforzado tanto reuniendo gente para llevarla a los mítines políticos, pegando afiches en las paredes de la ciudad y tratando de boicotear las reuniones de los opositores, que le prometieron conseguirle un puesto cuando Abdalá fuera presidente.

Para felicidad de la mayoría de los guayaquileños y la gente menos favorecida del país, el 7 de julio de 1996, el loco Bucaram ganó las elecciones presidenciales del Ecuador. Los primeros informes de los resultados en la radio y la televisión le sacaron lágrimas de tierna alegría a Maricela. A Vicente se le aguaron los ojos. Por fin un hijo del pueblo estaba en el poder. Bueno, era el segundo porque el primero había sido Velasco Ibarra. Aunque se preocupó por ocultar su contento porque así era su carácter (carácter de serrano, decía su esposa), a Viche le daban ganas de salir a la calle y abrazar a todo el que pasara. Ojalá le fuera bien al Loquito en el gobierno. Ojalá. Guayaquil entero estaba de fiesta.

Roberto contó que en el partido le habían dado a Jerónimo un cargo como guardaespaldas de uno de los nuevos concejales de la ciudad. Y esperaba que poco a poco su muchacho fuera escalando posiciones. ¿Quién lo iba a decir? Su hijo en el mundo de la política.

Vicente no podía imaginárselo como guardaespaldas. Seguro que tendría ya sus gafas oscuras, la pistola en la cintura y se sentiría hombre importante. De todas maneras, no lo veía como guardaespaldas. Ese muchacho no servía ni para el hampa ni para la política, porque para eso había que tener otra clase de estómago y una crianza muy diferente a la que le había dado su padre.

Abdalá llegó al poder decidido a hacer, como él decía, "su regalada gana" y a limpiarse los zapatos con las formalidades. Para empezar, se negó a vivir en el Palacio de Gobierno de Quito porque le molestó tanta sobriedad que no iba a tono con las carcajadas de sus amistades, la música popular y la vestimenta colorida de sus mujeres. "Que allí durmió Tamayo, durmió no sé quién... Me importa un carajo quién durmió ahí. Hace un frío del demonio y eso está lleno de fantasmas".

El presidente Bucaram siguió bailando sobre las tarimas al lado de voluptuosas modelos pintadas de rubio. Dejó que le afeitaran el bigote en un programa de televisión para recaudar dinero para los pobres. Cantó en público cada vez que pudo (baladas, cumbias, rock, etcétera) y hasta grabó un disco compacto, que distribuyó en reuniones internacionales a otros presidentes del mundo, que no sabían qué cara poner al ver la portada.

Durante los primeros meses, Viche, Maricela, las cocineras del restaurante y la mayoría de guayaquileños le sonrieron con aprobación a su presidente. Se divertían con sus locuras y, sobre todo, sentían que al fin llegaba su venganza contra los políticos tradicionales y los ricos que con sus trajes de corbata nunca hicieron nada por ellos. Burlones, se los imaginaban morados de furia, teniendo que tragarse el comportamiento del turco que había llegado a la presidencia.

Pasaron las semanas y continuó el circo del señor mandatario, aunque las promesas de campaña no llegaban. La gente de su ciudad no le perdía la esperanza y pensaba que había que esperar un poco, solo un poco más.

Desgraciadamente nunca llegó lo prometido y, para rematar, cada pequeña cosa en el mercado subía de precio. Era cada vez más grueso el paquete de sucres que había que reunir para cancelar las cuentas. Y entonces las locuras del hijo del pueblo provocaron menos risas.

En Maricela el ceño se frunció por primera vez cuando vio por televisión a Bucaram subirse al avión presidencial para viajar al extranjero, representando al país, con un grupo de mujeres de maquillaje exagerado, minifaldas atrevidas y pantalones ajustados. Hasta para Maricela fue ya demasiado.

A la par de las locuras desmedidas, los familiares y amigos cercanos del señor presidente se habían tomado los ministerios y cargos más importantes. Organizaban fiestas escandalosas que aparecían en los noticieros de la oposición; insultaban a la prensa, se mostraban prepotentes y cargaban terribles acusaciones de corrupción que parecían no importarles. Guayaquil, con la ñaña Elsa Bucaram en la alcaldía, se llenaba de basura en las esquinas y las alcantarillas vomitaban aguas podridas.

Fue por esa época cuando el presidente Abdalá Bucaram Ortiz volvió al restaurante Las guatitas de don Viche, nada menos que junto al mandatario peruano, Alberto Fujimori. Esta vez no entraron sino que se sentaron en una de las mesas ubicadas en la vereda. Adentro no hubiese cabido la corte de periodistas nacionales e internacionales y la luz no habría sido suficiente para las tomas.

¡Las guatas más ricas de mi patria! –le dijo Bucaram al presidente peruano.

Viche se acercó al grupo de periodistas que filmaban y tomaban fotos. También llegaron Maricela, las cocineras y los meseros. Nadie perdía detalle de los movimientos y palabras de los presidentes.

Abdalá exageró sus gestos y comió la guatita con una cuchara como si le hubiesen dado cinco segundos para terminar y además hubiera pasado dos semanas sin bocado. Le chorreaba la salsa de la guatita por los labios, aunque había agachado la cabeza para tenerla junto al plato. Alberto Fujimori comía de la misma manera. No habían necesitado ponerse de acuerdo porque los dos sabían que tenían que actuar así. En medio de la comida, Bucaram se metió tres dedos a la boca, uno a uno, y se los chupó.

Esta vez la gente del gobierno pagó la cuenta con un cheque que tenía el gran escudo de la patria en una esquina. Cuando todos se fueron y el restaurante volvió a la normalidad, Maricela y las tres mujeres opinaron en la cocina que Abdalá había engordado, que se veía mejor en televisión, que sudaba como una olla a presión, que no les gustaban los hombres con cadenas y pulseras de oro como él, que la gente de otros países que lo viera por televisión iba a pensar que todos los ecuatorianos comían de esa forma tan vulgar. Después dieron por finalizados sus comentarios. Esa misma tarde, antes de cerrar el restaurante, Viche se subió a una silla y descolgó la fotografía en la que Abdalá lo abrazaba.

Para el Año Nuevo de 1997, el gobierno anunció el "abdalazo", un paquete de medidas creadas por economistas extranjeros para tratar de superar la crisis del país. El regalito de Bucaram incluía el alza del gas, la luz eléctrica y el impuesto al valor agregado.

Viche y su amigo Roberto se reunían una vez a la semana para comentar las noticias, acompañados de una cerveza bien fría. Los dos consideraban que posiblemente los doctores extranjeros tenían razón y que las medidas económicas eran necesarias. Pero para que las aceptara el pueblo, hacía falta el Abdalá carismático de la campaña. Ahora se había convertido en un mandatario prepotente y ridículo que cada vez desgastaba más el respaldo de su gente.

El pueblo de Guayaquil, que tanto lo quiso, se quedó en silencio –un silencio desilusionado y culpable– cuando miles de quiteños explotaron con rabia e indignación contra el gobierno y dieron conciertos de cacerolas por las avenidas, quemaron muñecos con la figura de Bucaram y pidieron a gritos su renuncia.

"¡Loco, fuera! ¡Loco, fuera! ¡Loco, fuera!".

En la capital se vivía una energía furiosa que crecía para hacerse más valiente. Además, los indígenas bajaron de las montañas y bloquearon las principales carreteras. El presidente tuvo que huir del país cuando se dio cuenta de que los militares no estaban dispuestos a luchar contra los huelguistas para defenderlo. En el poder quedaron los políticos de siempre, que no cantaban ni bailaban, que respetaban la etiqueta y que pusieron caras de hipócrita resignación porque le harían al país el favor de salvarlo una vez más.

Justo al día siguiente de la salida de Bucaram, Roberto llamó a Viche. Su hijo Jerónimo estaba en el hospital. Había participado en algún pleito defendiendo a la gente del partido y fue apaleado. No hubo más remedio que cortarle una pierna. Las puertas del partido roldosista estaban cerradas porque todos habían huido, temiendo las fiscalizaciones y la persecución. La gente del restaurante organizó una rifa para ayudar a pagar las cuentas del hospital. Vicente compró las muletas que su ahijado necesitaría en el futuro.

Tres meses después, el joven fue una vez más a pedir trabajo en Las guatitas de don Viche. Iba serio, arrastrando el ánimo, y con el corazón apoyado en las muletas, igual que su cuerpo. Él mismo sabía que ya no podría ser mesero, así que iba por cualquier puesto. Vicente decidió que ayudara en la caja. Pero a los dos días fue notorio que, en ese cargo, Jerónimo no solo era inútil sino un estorbo; le entregaba a los meseros las cuentas equivocadas y no terminaba de manejar correctamente la máquina registradora, que se trababa con sus toqueteos nerviosos.

Los empleados aceptaban las fallas de su amigo con excesiva paciencia porque le tenían una lástima que no sabían manejar. Y Carebandido lo notaba.

Aunque trataran de actuar como siempre, haciéndole las mismas bromas de antes, sus miradas piadosas los denunciaban. Y el muchacho sentía rabia contra ellos, contra la vida, contra él mismo, porque, ¡carajo!, no lograba aprender a manejar ese aparato de hacer cuentas. Viche lo observaba y tenía vergüenza de sentir él también la misma inútil lástima y no poder hacer algo mejor por el ahijado.

Por esos días, una de las cocineras tuvo que ser operada de apendicitis. Las otras dos bien podrían cubrirla, pero Viche aprovechó para sacar a Jerónimo de la caja, mientras pensaba qué hacer con él. Le pidió, como un gran favor para las señoras de la cocina, que entrara para ayudar en lo que pudiese, así fuese solamente cortando papas.

Las mujeres, Rosaura y Évelin, que conocían al muchacho hacía años y eran madres y habían vivido lo suyo, supieron desde el inicio la forma de ayudar a Jerónimo. Rápidamente le plantaron un mandil y un gorro, lo acomodaron en un banco y lo pusieron a limpiar el mondongo para la guatita, tal y como le había explicado alguna vez Viche, sin que él hubiese prestado atención. Cuando le mostraron la tinaja inmensa con las grandes lonjas de mondongo, Carebandido puso cara de asco.

–Ah, o sea que ya te diste cuenta de que el mondongo huele a diablos –le dijo Rosaura–. Muy bien. Pues tu trabajo consiste en que termine oliendo a nalguita de ángeles, no más. Vas a lavar cada lonja en el chorro, ponerla en los baldes con agua, limón y sal; volver a lavarla y volver a ponerla en otro balde con agua limpia. Varias veces. Y con un cuchillo vas a quitarle todas las partes negras y los nervios que cuelguen.

Fue un trabajo duro. Era difícil el solo ver de frente tantas panzas de reses, pesadas, sucias, interminables. El muchacho no se conformaba. Hizo lo que le indicaron, rápidamente, para librarse lo antes posible del asunto. Y cuando pensó que había terminado, tuvo que empezar de nuevo porque la limpieza del mondongo no pasó la inspección de las mujeres.

Viche observaba y, por un momento, le pareció que ellas estaban siendo muy duras con Jerónimo. De todas formas, no dijo nada. En la cocina, esas señoras tomaban las decisiones y siempre habían hecho lo correcto.

Jerónimo refunfuñaba calladamente; sudaba y le parecía que el calor del verano se hacía ardiente en esa cocina, pero terminó dejando el mondongo como se necesitaba. Después tuvo que picar las papas del tamaño preciso, ni más grande ni más pequeño. Estaba cansado, le dolía la espalda de estar sentado en un banco sin respaldo tanto tiempo y se le agarrotaron las manos de tanto picar.

Luego le ordenaron que, parado como pudiera con sus muletas, lavara y fregara las ollas, sin dejar un rastro de hollín.

–Eh, Carebandido. Deja eso ahí. Siéntate que es hora de almorzar.

Y solo por esa vez, las mujeres no le llevaron el plato de comida que hacían para los empleados. Le sirvieron una buena porción de guatita.

–Esta es la guatita que hicimos con el mondongo que limpiaste y tus cuadros de papa –le dijo Évelin al entregarle el plato–. Huele bien, ¿no es cierto? Huele así porque tú hiciste bien tu trabajo. Si no, estaríamos botando toda la olla en el inodoro.

Jerónimo no supo cómo tomar esas palabras. Al principio pensó que se estaban burlando de él, bajó la cabeza e insultó a la mujer moviendo los labios sin voz ("Vieja cara e'…"), pero al levantar el rostro y ver la expresión amistosa de la cocinera, supo que sus palabras pretendieron ser una motivación, un premio a su cansancio. Comió y jamás le supo mejor una guatita. Estaba agotado y tenía mucha hambre, pero sí, también sintió gusto al saber que había ayudado a preparar ese plato que comerían tantos clientes ese día.

Terminado el almuerzo, Jerónimo ayudó a servir los pedidos para las mesas y ese trabajo le pareció más llevadero y descansado. Además, se le pasó volando el tiempo, escuchando las conversaciones de las mujeres que se contaban las telenovelas y se informaban los últimos chismes sobre los meseros o las vecinas del barrio.

En la tarde, cuando ya estaba limpia la cocina, Jerónimo colgó el mandil y el gorro, y se dispuso a cruzar el salón para irse. En ese momento se encontró con que don Viche, el cajero y los demás muchachos lo estaban esperando en una mesa, donde había varios vasos de cerveza espumosa.

–Ven acá, muchacho. Siéntate que hoy nos vamos a emborrachar todos juntos.

–Chuzo, padrino. Gracias, pero mi mujer me espera en la parada.

–No te espera nadie porque ya le avisé a tu papá que hoy no llegabas a dormir. No te hagas el rogado y ven para acá.

Uno de los chicos fue a prender el equipo de sonido. La voz de Julio Jaramillo y sus canciones cortavenas, como no había otras, chocaron con la charla algo forzada que los hombres habían empezado alrededor de las últimas desgracias de su equipo de fútbol, el Barcelona Sporting Club de Guayaquil.

–El Loco Bucaram se fue fregando hasta al equipo –dijo uno de los meseros, que enseguida se sintió avergonzado de haberle traído el recuerdo de Abdalá a Jerónimo.

Hablaron de las mujeres más guapas de los alrededores, de los hombres más dominados por sus mujeres y hasta de los carros que cada uno quisiera comprar si les sobrara el billete.

Jerónimo no decía nada; tenía la vista fija en las burbujas de su cerveza. Hasta que sonó en el equipo *Carnaval de la vida* y de repente alzó la voz para unirse al pasillo.

Entre las sombras, vegetando vivo,
sin que una luz ante mis ojos raye

e indiferente, mi existir maldigo,
sin creer en nada, ni amar a nadie.

Con las voces adoloridas del joven y el cantante, a los demás les llegó un puñetazo que les hundió el pecho. Supieron de golpe, con el pasillo, el tamaño del dolor de su amigo y su necesidad de llorar, de sacar las penas.

Al principio, por el impacto, los hombres no pudieron ni mirarse entre ellos mismos y bajaron la vista. Hasta que Vicente se decidió a cantar con Jerónimo:

Si hasta la esperanza está perdida,
me río de las iras de mi suerte;
¡Qué carnaval más necio el de la vida!
¡Qué consuelo más dulce el de la muerte!

Los otros tomaron hasta el fondo sus vasos de cerveza y se animaron a gritar también todos los pasillos de Julio Jaramillo, hasta bien entrada la noche.

–Ese sí fue de verdad el *man* más *man* del Ecuador –dijo Jerónimo, refiriéndose al famoso compositor y cantante guayaquileño.

–Ahora solo nos quedan sus canciones y el Barcelona. Nada más –dijo melancólico otro de los chicos.

A la madrugada, todos se fueron quedando dormidos. Don Viche los acomodó como pudo para que no amanecieran tan maltratados.

Al otro día, aunque descompuestos, en el trabajo todo volvió a la normalidad entre los hombres del restaurante y pudieron mirar a Carebandido no como a un pobre desgraciado sin pierna, sino como a uno de sus yuntas del alma.

Jerónimo no tuvo más remedio que regresar a su trabajo en la cocina, que iba a durar hasta que se recuperara la enferma. Como las mujeres supieron que había amanecido tomando, le prepararon un buen caldo de manguera.

–Es para el chuchaqui –le dijo una, y las otras lo obligaron a sentarse y comérselo caliente–. Mañana te vamos a cocinar caldo de tronquito, que te dará fuerza en el cerebro y te irá despejando el ánimo.

Jerónimo las miró con agradecimiento. Se fijó en lo cálido de sus ojos y las reconoció nuevamente. Eran las mujeres francas, cariñosas y responsables que lo habían visto crecer en ese restaurante. Y lo querían, como a todos sus compañeros y al trabajo. Ese día, Carebandido lavó el mondongo una vez más. Aunque estaba cansado, hizo el encargo con cuidado. Esta vez las cocineras no tuvieron objeción con el resultado.

Después de lavado el mondongo, le pidieron a Jerónimo que lo pusiera en grandes ollas a presión con agua, culantro, cebolla, sal, comino y pimienta. Mientras las ollas silbaban durante una hora, entonando la cocción del mondongo, el joven tuvo que picar gruesamente las verduras (cebollas, tomates, pimientos y ajos). Por supuesto, lloró al cortar las cebollas, pero fue un llanto mezclado con risas porque las cocineras se burlaban con picardía de sus lágrimas de novato y él tomaba con gracia sus palabras.

Rosaura puso manteca de cerdo en una gran paila y allí colocó las verduras que había picado Jerónimo. Luego añadió comino, pimienta y sal.

–Aprende, Carebandido. Esto que está en la paila se llama refrito. Hay que dejarlo cocinar hasta que la cebolla esté transparente. Toda buena comida ecuatoriana empieza siempre con un refrito. Esta es la primera lección.

Después, la mujer licuó esas verduras refritas con leche y pasta de maní. Puso en una olla la salsa que resultó. Agregó el mondongo ya cocinado y cortado en cuadros y, la papa cruda, pelada y hecha cuadros también.

–Cuando la papa esté cocida y le entre suavecito un cuchillo, está lista la guatita –explicó Évelin–. No debe quedar muy espesa, así que le vamos agregando poco a poco el caldo en que cocinamos el mondongo, según se necesite. Faltando pocos minutos para apagar, se le agrega el orégano seco, molido con las palmas de las manos.

Aunque Jerónimo no sabía cocinar todavía, era muy buen diente y había probado distintas guatitas en su vida, en los puestos afuera del estadio, en su casa, en el mercado, en diferentes locales… Por eso sabía que una buena guatita no debe ser ni muy aguada ni muy espesa. Las guatitas de don Viche tenían el espesor y el sabor ideal. Y en los días siguientes en la cocina, se dio cuenta de que la preparación de su padrino tenía un secreto adicional que al inicio no le habían querido descubrir: un toquecito de ají, casi imperceptible, que mañosamente narcotizaba la lengua y obligaba a pedir más.

Cuando Cleo, la cocinera recuperada, volvió a su trabajo, don Viche habló con Jerónimo para preguntarle si le gustaría seguir en la cocina. Estaba planeando alquilar el local de al lado para ampliar el restaurante; así que pronto habría más clientes y las señoras necesitarían ayuda. Jerónimo no sabía aún si eso era lo suyo, pero por el momento no tenía otra opción y se sentía bien con sus compañeras.

En seis meses de trabajo en la cocina, Carebandido aprendió a dominar el cuchillo y a picar como un experto todo tipo de verduras, en cualquier tamaño y forma. Parecía una máquina rebanadora. Y además de la guatita, se memorizó la preparación de los otros platos que ofrecía el restaurante. Si le pedían un refrito, lo hacía casi sin pensar; si le ordenaban terminar un cebiche, probaba y concluía la receta a la perfección. Las muletas no le estorbaban porque se había acostumbrado a ellas. Las señoras lo querían porque además de ser un muchacho siempre dispuesto a ayudar, era el condimento que le faltaba a su cocina. Un hombre entre las mujeres siempre añade sazón, coquetería y variedad en las conversaciones. Y era él quien se encargaba de la música de la radio, alternando boleros con salsa y pasillos para darles gusto a todas. Jerónimo había vuelto a ser el Carebandido de siempre.

Una mañana don Viche estaba a punto de entrar a la cocina a probar como siempre la guatita, cuando escuchó hablar a Jerónimo con las señoras.

–¡Uuuuu! Me parece que el patrón está perdiendo el toque. Esta guatita no está buena porque el pobre se dejó meter un costal de maní pasado.

Cuando Viche entró, Jerónimo se puso nervioso porque era obvio que lo había escuchado. El padrino tenía seria la expresión; tomó una cuchara y fue directo a probar la guatita.

–Efectivamente, el maní está pasado y es mi culpa por no haber revisado el costal que trajo el proveedor nuevo. No es mucho el daño, pero tienes razón: es importante usar productos de buena calidad. Coge tu cuchara, Carebandido, prueba otra vez la guatita y dime qué le hace falta, además de un maní más fresco.

El muchacho probó la receta, un poco cohibido, y puso atención a lo que le decía su lengua. Como si fuera un catador de vino, esperó inclusive a averiguar qué sabor quedaba en la boca luego de tragado el alimento.

–Le hace falta un toquecito más de orégano y agua. Se está pasando de espeso.

–Muy bien, muchacho. Muy bien –dijo Viche, satisfecho de comprobar que su ahijado tenía sentidos atentos que lo estaban convirtiendo en un buen cocinero.

En su casa, Jerónimo preparaba él mismo una guatita a la que le daba sus propios toques (menos comino, más pimienta) y le cambiaba un ingrediente importante: en lugar de arroz la servía con tallarines, que era la comida infaltable en los almuerzos de su hijito. Así convirtió la guatita en "guatallarín", un plato que, con el tiempo, todos los guayacos conocerían.

A Jerónimo se le ocurrió aprovechar los miércoles, que tenía libres en el restaurante, para preparar el guatallarín, ponerlo en una olla e ir a venderlo a las afueras de las construcciones cercanas, en donde sus amigos trabajaban como albañiles. Al inicio, los compradores pidieron sus platos por pura lástima con el pobre lisiado. Pero la segunda vez, compraron con gusto.

–Tu hembrita resultó buena pa' la cocina, Carebandido.

–¿Cuál hembra? A ella se le quema hasta el agua. Este pechito es el que cocina.

Jerónimo sintió que debía contarle al padrino sobre su negocio. Al fin y al cabo, la receta y el ejemplo los había tomado de él.

–Padrino, le prometo que estoy vendiendo muy lejos de aquí y no quiero robarme sus clientes.

–Yo sé, yo sé. No hay problema, mijo. Tú sigue adelante no más.

Por ese tiempo, hubo nuevas elecciones presidenciales en el Ecuador. Otra vez se vio a Jerónimo rondando por las centrales de campaña de diferentes candidatos.

Cuando se lo contaron a Viche, no lo podía creer y se sintió decepcionado. Antes de que pudiera darle un sermón a su ahijado, él se apareció en el restaurante sin muletas y con dos zapatos bien puestos. Usaba una prótesis y apenas cojeaba un poco.

–Vea, padrino. Esta pata de palo me la dio el candidato Álvaro Noboa. Y Lucio Gutiérrez me mandó solamente una silla de ruedas usada, que estoy vendiendo barata.

–Ojo, Jerónimo. En esta vida, nada es gratis.

–Yo sé esa nota, padrino, y por eso ya les pagué a ambos.

Por ese tiempo, Carebandido se hizo famoso en el Guasmo porque aparecía en televisión en una propaganda política, con la prótesis nuevecita agarrada en una mano y abrazando al candidato Alvarito Noboa. Y en otra publicidad, sin haberse siquiera cambiado de gorra, aparecía en su silla de ruedas, abrazando al candidato Lucio.

Maricela, la gente del restaurante y la mayoría de los guayaquileños se encariñaron una vez y otra con la sencillez, la gracia y las promesas de los nuevos candidatos. Eso sí, nunca tanto como lo hicieron con el Loco Bucaram (sería por eso que los demás políticos se encargaron de que Abdalá no pudiera regresar al país).

La mayoría de los políticos fueron a comer guatitas al restaurante, rodeados de gente y cámaras. Pero

Viche jamás volvió a permitir que alguno se fuera sin pagar y nunca volvió a verse una propaganda política pegada en sus paredes.

Los presidentes que llegaron al poder demoraron poco tiempo en desilusionar al pueblo. Varios de ellos tuvieron que huir al extranjero, perseguidos también por la furia de la gente.

Menos mal, la inestabilidad política no afectó ni a Viche ni a Jerónimo. En su negocio del guatallarín le iba tan bien a Carebandido, que decidió levantarse todos los días para vender dos ollas repletas antes de ir al trabajo. Y le siguió yendo tan bien, que dejaba algunas ollas preparadas para que su esposa las vendiera a medio día. Aunque jamás pudo enseñarle a la mujer su don de gente con los clientes, que no dejaban de reclamarlo a él. Entonces renunció, ahora sí definitivamente, a su trabajo en el restaurante de don Viche.

Cuando se despidió, todos lo abrazaron con cariño y él no pudo evitar llorar con cada abrazo. Sabía que ahora sí era un hombre y tenía que empezar su vida en serio, lejos de la gente que lo había ayudado a crecer.

–¡Deja esas lágrimas, ahijado! No nos vamos a morir –dijo don Viche, escondiendo su emoción porque así era él (carácter de serrano, decía su esposa)–. Aquí vamos a estar cuando nos necesites.